시퍼런 봄에 던져진:

청춘의 찬란한 찰나들을 지나며 느낀 것들

시퍼런 봄에 던져진

하 루

https://brunch.co.kr/@onedaytoday

발 행 | 2024-04-25
저 자 | 하 루
펴낸이 | 한건희
펴낸곳 | 주식회사 부크크
출판사등록 | 2014.07.15(제 2014-16 호)
주 소 | 서울 금천구 가산디지털 1 로 119, A 동 305 호
전 화 | 1670 - 8316
이메일 | info@bookk.co.kr
ISBN | 979-11-410-8256-7

본 책은 브런치 POD 출판물입니다.
https://brunch.co.kr
www.bookk.co.kr

시퍼런 봄에 던져진

하루 에세이집

나의 사랑하는 청춘과 그 곁에 있어주는 사람들에게

목차

들어가며 8

제 1 부. 나는 이방인으로 살기로 선택했다 15

선택적 이방인 16
외로움이 성장했다 23
집 31
네 바퀴 자전거 (1) 35
네 바퀴 자전거 (2) 41
무한도전, 그리고 50

제 2 부. 인생은 작은 인연으로 아름답다 57

낮은 명도의 사람 58
오다이바, 너는 오래오래 내 기억 속에서 살아가 65
여름의 한가운데에서 쓰여진 편지 73
웃겼으면 됐어 77
비슷한 길을 걷는 다른 사람 81
조각의 공유 86
아주 평범한 짝사랑 89
겨울 바다, 여름 비 96
닿지 못할 말 102

우리가 무슨 세기의 사랑을 한 것도 아니지만 104
안녕, 110
2 호선 113
산산조각 123

제 3 부. 시퍼런 봄에 던져진 127

우울의 기록 128
2017 년 12 월 30 일 134
시퍼런 봄에 던져진 137
파도 145
내 청춘의 영원한 151
냉소주의 156
이게 내 업이 될 수 없다는 사실을 깨닫고 난 후 161
해변의 카프카 166
살리에리 증후군 173
어차피 삶은 177

마치며 178

들어가며

지난 몇 년에 걸쳐 아주 가끔 메모장에 적어두던 글의 조각들을 한 편의 글로 완성시키는 데에 꽤 많은 시간을 쓰고 있는 요즘입니다. 그렇게 나름대로 완성된 글들을 브런치 매거진에 올렸고, 글이 어느 정도 쌓이니 종이책 출판이 가능하다는 알림이 오더군요.

사실 저는 어릴 때부터 간직한 세 가지 꿈이 있습니다. 제 이름으로 된 책을 내는 것과, 음원을 발매하는 것, 그리고 영화를 제작하는 것. 그래서 에세이집 출판에 도전해 보기로 했습니다. 이렇게 하나의 꿈을 이루게 되어 기분이 굉장히 좋습니다.

저는 중고등학교를 뉴질랜드에서, 대학을 일본에서 다녔습니다. 스스로 결정한 유학생활이었기 때문에 이방인으로 살기로 선택한 거였고, 한국으로 돌아온 이후에도 저는 이방인이었습니다. 이방인으로 살면서 사람과, 시간과, 세상과 관계를 쌓고 헤매며 느낀 점들을 에세이로 남기고 있습니다.

현재는 한국에 돌아와 로스쿨 입시를 준비하면서 아르바이트로 영어를 가르치고 있습니다. 하고 싶은 게 참 많은 사람이고, 하고 싶은 건 다 해 봐야 직성이 풀리는 성격이라 취미로 아마추어 밴드에서 보컬을 맡고 있고, 브런치에 에세이와 시를 쓰고 있으며, 영상을 편집하기도 하고, 춤을 추기도 하고, 그림을 그리기도 하고, 바이올린을 켜기도 합니다. 집에 있을 때는 주로 드라마나 연애 프로그램, 프렌즈 아니면 무한도전을 봅니다. 아, 겨울에는 꼭 스키를 타러 갑니다. 글쓰기도 제 수많은 취미 중 하나입니다.

몇 년, 몇 개월, 혹은 몇 주 전의 내가 어떤 생각을 하고 있었는지, 그 생각들을 어떤 말로 풀어내고 있었는지 돌아보는 것은 꽤 흥미로웠습니다. 그리고 한두 줄 끄적임들에 지나지 않던 조각들을 어떻게든 글로 완성시키면서 현재의 내 생각들을 예전의 내 생각들 위에 얹어 보는 건 꽤 재밌더군요.

당시에는 현재형으로 쓰던 글을 과거형으로 바꾸는 과정에서 지금의 내가 과거의 나에게 추가되고 있는 느낌에 푹 빠져있습니다. 과거의 나와 소통하면서 현재의 사건과 감정들을 짧은 저널의 형태로 기록해 놓는 습관도 생겼습니다. 미래의 나는 현재의 나를 궁금해 할 수도 있으니까요.

모순되는 문장일 수는 있지만 저는 행복과 우울로 점철된 이십 삼 년을 살아온 것 같습니다. 제가 원래 중간이 없어요.

쏜애플의 곡 중에 "시퍼런 봄"이라는 곡이 있습니다. 한자로 생각해보면 청춘입니다. 사실 청춘은 파랗고 아름답기만 하진 않습니다. 서슬퍼렇게 힘들고, 눈물나게 무섭고, 쥐어짜듯 아프기도 합니다. 던져졌다는 말은 실존주의 철학자들에게서 따왔습니다. 인간은 던져진 존재들이라는 전제에서 그들의 철학은 시작합니다. 때문에 인간은 사회적 관계 속에서 주체적으로 삶의 의미를 규정하고 추구하는 것입니다. 이 책에서는 시퍼런 봄에 던져진 존재로서의 제가 세상과, 우정과, 사랑과, 또 시간과 관계를 쌓으며 느낀 점을 나름대로의 말로 풀어 써 보았습니다.

"찰나의 찬란" 은 그냥 제 찬란한 순간들은 항상 찰나와 같이 짧아 더 소중하고 아쉽다는 생각이 들었을 때 생각난 말인데, 어감이 마음에 들었습니다. 그래서 제 첫 책의 부제목은 〈청춘의 찬란한 찰나들을 지나며 느낀 것들〉이 되었습니다.

브런치에 올린 글들을 원고 형식으로 옮기면서 글들을 세 가지 테마로 나누었고, 글들의 순서도 바꿨습니다. 퇴고하는 과정에서 꽤 많은 수정도 거쳤습니다.

글로 쓴 모든 내용이 모두 실제인 것은 아닙니다. 두 명 이상의 이야기를 한 명인 것처럼 각색한 이야기도 있고 화자의 시점을 바꿔서 쓴 이야기도 있습니다. 인물이 너무 특정될 것 같으면 은근슬쩍 다른 사람인 척, 사소한 가공의 설정을 넣기도 했고 랜선으로 나눈 대화를 얼굴 보고 말한 것처럼 써 놓기도 했고, 가끔은 제가 겪은 시간들을 섞어버리기도 했습니다.

브런치 매거진의 제목은 〈이방인, 인연, 그리고 시퍼런 봄〉이었는데, 이 세 개의 단어 그대로 책의 구성을 만들었다고 보면 될 것 같습니다.

1 부 〈나는 이방인으로 살기로 선택했다〉 에는 정체성이 형성되는 청소년기와 이십 대 초반을 해외에서 혼자 살아나가며 느낀 점들에 관한 에세이를 모아놓았습니다. 제가 선택한 유학 생활이었지만 세상과 마주하고 성장하는 과정은 쉽지만은 않았습니다.

2 부 〈인생은 작은 인연으로 아름답다〉 는 제가 사랑하는 사람들에 대한 이야기를 담았습니다. 지극히 개인적이지만 또 지극히 평범했던 몇 차례의 짝사랑과 연애 그리고 이별을 겪는 저의 이야기가 꽤 많아지더군요. 10 대 후반, 20 대 초반에는 사랑이 세상의 전부인 것만 같을 때가 많으니까요. 그러나 내 인생을 아름답게 하는 작은 인연들은 연인 뿐만은 아니고, 그래서 제가 사랑하는 친구들과 지인들, 저와 함께해주는 많은 인연들의 이야기 역시 2 장에 담겨 있습니다. 아쉽게 끝나버린 인연도, 여전히 지속되는 인연도, 다 제 인생을 아름답게 만드는 것들입니다.

마지막으로 3 부에서는 제 우울과 비관에 대한 이야기부터 진로, 시간, 성장에 대해 고민하고 고찰하게 되는 청춘의 이야기들을 풀어 쓰려고 했습니다. 이 책의 대부분 글들은 몇 년 동안 제가 메모장에 끄적인 글들에 살을 붙이고 다듬은 것인데 3 부는 특히 저의 개인적 고민이고 경험이고 생각이 많이 들어 있고, 그만큼 3 부가 가장 어수선한 부분이 많은 것 같습니다.

아무튼 3 부 〈시퍼런 봄에 던져진〉은 제 개인적인 고민이자 경험의 기록이지만 크게 보면 사실 모든 청춘들이 시간이 흐름에 따라 자연스레 하게 되는 생각들일 수 있다고 생각합니다. 우리를 생각하게 만드는 에세이를 쓰려고 했습니다. 글을 쓰면서 저도 더욱 성장한 것 같습니다. 때로는 횡설수설하지만 청춘을 보내며 갈팡질팡하는 제가 횡설수설하는 건 지극히도 당연한 일인 것 같아 굳이 수정하지 않은 부분들도 있습니다. 시퍼런 봄에 던져진 저는 아직 미완이기 때문에 갈팡질팡하고 헤매고 있습니다.

이런 저의 벌거벗은 생각들을 가감없이 세상에 내놓는다는 것은 여전히 조금 쑥스럽고, 이 보잘 것 없는 글들이 출판된 형태로 세상에 나온다는 게 아직도 믿기진 않지만 아무튼 저는 이런 생각들을 하고 살아가고 있습니다. 단편의 글들을 모아 책의 형태로 만들었기 때문에 유기적이지 못한 점, 미리 양해를 구합니다.

제 혼잣말을 외롭지 않게 해 주셔서 감사합니다.

1부.

나는 이방인으로 살기로 선택했다

선택적 이방인

이방인이 되기는 쉽지만 현지인이 되기는 어렵다

나는 이방인이었다. 소수였다. 마이너리티였다. 스스로의 의지로 유학을 결정한 순간부터 평생을 그렇게 살아왔다. 선택적 이방인이었다. 어쨌든 내 선택이었고, 좋든 싫든 살아남아야 했다.

8 년여의 유학을 마치고 완전 귀국을 택했을 때, 집이 되어줄 줄 알았던 한국은 생각만큼 나에게 집이 되어주지 못했다. 나는 서울에 연고가 없었고, 가족이나 친구가 없었기 때문에 여전히 혼자였고, 여전히 외국에서 온 사람 그뿐이었다. 완벽한 타지인은 아니었지만 완전한 "우리"의 일부는 되지 못했다. 국제학교 - 해외 고교 - 해외 대학이라는 내 학력은 나를 외부인으로 만들었다. 오클랜드에서, 도쿄에서는 내 여권의 색깔이 달랐기 때문에 내가 이방인인 게 당연하다고 여기며 살았지만 내가 "그들 중

하나" 가 될 거라고 믿어 의심치 않던 서울에서도 이방인이라니. 사람을 너무 좋아하는 나였고 꾸준히 소속감을 갈망하던 나였기 때문에 한국에 돌아온 첫 해, 내가 느껴야 했던 그 상실감과 실망감은 꽤 컸던 것으로 기억한다. 덕분에 꽤나 자주 그리고 꽤나 주기적으로 즐거운 기억들이 가득했던 유학시절을 추억하곤 했다. 오히려 내 자신이 이방인인 게 당연했던 시절이 훨씬 마음이 편했고 훨씬 행복했던 것이다.

오클랜드 시티 한복판에서 걷던 열다섯의 내가 술에 취한 - 혹은 마약이었을지도 모르겠다 - 마오리족에게 이마를 얻어맞고 이유 없이 욕을 들어야 했을 때도, 도쿄에서 동아리 활동을 하던 열아홉의 내가 동기에게 뜬금없이 정치적인 질문을 듣고 당황했을 때도, 나는 어차피 외부인이었기 때문에 그냥 넘어갔고 별로 상처받지도 않았다.

대학을 졸업한 스물 두 살의 내가 한국에 돌아와서 처음 자리를 잡은 곳은 한국에서 나고 자라고 공부한 사람들이 가득했던 신림동 고시촌이었다. 건강상의 이유로 고시공부는 일 년여 만에 금방 관두긴 했지만 공부가 힘들었던 것만큼 나에게 충격을 준 건 고시촌의 사람들 역시 때때로 나를 외부인으로 여겼다는 것이었다. 나는 여전히 이방인이었다. 농담이셨지만 학원 선생님은 나를 동경소녀라고 부르셨고 학원 사람들이 각자 학교에서의 엠티, 축제, 술자리 이야기를 할 때 나는 아는 것이 없었다. 외국에서 친구들이 나에게 한국 문화와 한국어를 물어왔듯 한국 친구들은 이제 나에게 뉴질랜드와 일본 문화, 영어와 일본어를 물어왔다. 나는 종종 그들이 나를 그들과 다른, 신기한 사람이라고 생각하고 있다는 느낌을 받곤 했다. 나는 여전히 이방인이었다.

외국에 혼자 살던 몇 년 간 나는 여행자는 아니었다. 돌아갈 집이 타지에 있는 것이 아니었고 - 물론 본가는 계속 한국에 있었지만 그렇다고 그곳이 내 "집"은 아니었다. 실제로 중간에 몇 년 간은 본가에 내 방이 아예 없기도 했고 - 아무튼 나는 몇 년 이상 그곳에서 살아가는 주민이었고 내 삶의 터전이 그곳에 있었으니 완전한 타지인은 아니었다. 대부분의 유학생이 그렇겠지만 여행자도 아니고 현지인도 아닌 애매한 상태로 수많은 시간을 지내왔다.

기꺼이 이방인이 되기로 선택한 건 나지만 가끔 정말 별거 아닌 것들이 쌓이고 쌓여 터지는 날도 있었다. 이 땅엔 나의 가족도 없었고 나의 집도 없었다. 내가 여기에서 살아가야 하는 뚜렷한 목적이 흐려지거나 일이 잘 풀리지 않아 지치는 날이면 종종, 길을 잃은 아이가 되기도 했다. 이방인으로 살아나가야 하는 타지에서는 핸드폰을 개통하는 것, 자취방에 인터넷을 설치하는 것, 병원에 가는 것, 건강보험이나 세금 관련해서 구청에 다녀오는 것, 은행 업무를 보는 것과 같은 일상의 무게가 더 버겁다. 아주 사소했던 부정적인 생각들이 눈덩이처럼 불어나면 그 버거움이 심연이 되어 나를 덮치고 나는 물 밑으로 가라앉기도 했다. 그럴 때면 더 이상 이방인이고 싶지 않았다.

도쿄에 산 지 3 년이 조금 넘었을 때, 다니던 댄스 스튜디오에서 강사분께 처음 자기소개를 해야 할 일이 있었다. 내 이름이 일본인의 이름이 될 수 있다 보니 십여 분 간을 자연스럽게 대화하다 내가 한국인이라는 사실은 밝히지 않은 채 출신지가 어디냐는 대화로 이어지게 되었다. 그제서야 한국인이라고 하니 강사분께서 혼혈이냐고 되물으셨고, 한국인 유학생이라고, 일본 온 지 이제 3 년 정도 되었다고 하니 놀라시며 그냥 일본인이라고 생각하셨다고 말씀하셨다. 당연히 이름이 일본어로도 자연스러운 이유도 크겠지만, 내가 언어적, 문화적으로 일본인들 사이에서 어느 정도 자연스럽게 녹아들 수 있다는 사실에 안도했던 기억이 난다.

한국에서 산 지 일 년쯤 지났을 때 취미로 아마추어 밴드에 들어갔다. 당시 나는 한국 인디 밴드에 관해 아무것도 몰랐고, 제이팝과 제이락, 영미권의 락만 좋아하는 사람이었다. 같은 팀이 된 멤버들은 한국 밴드의 노래들을 연주하고 싶어 했고 그렇게 나는 처음으로 한국 밴드의 노래를 듣기 시작했다. 한두 달 정도 매주 만나서 합주하고 놀고 친해지면서 그들의 노래 취향을 알아갔고 나 역시 그 밴드들의 노래를 좋아하게 되었다. 내 취향도 그들 사이에 스며들며 변해 갔다.

이방인으로 살기로 내가 선택했지만 내가 살고 있는 도시에 녹아들고 그 도시의 사람들에게 “그들의 일부”로 인정받고 싶은 욕구도 항상 내재되어 있던 것이다. 소속되고 싶고, 안정감을 찾고, 이제는 정착하고 싶은 욕구.

그러나 한편으로는 내 스스로도 현재 내가 살고 있는 이곳을 내가 영원히 머물 곳으로 생각하지 않았고 몇 년 후면 떠날 곳으로 여기고 있었다. 사회문화적으로 이해하기 어렵거나 힘든 일이 생기더라도 내가 머무는 장소는 일시적인 곳이었고, 따라서 내 에너지를 소모해 가며 내 자신을 이 장소에 정착시키려는 노력을 하지 않았다. 고시공부를 하던 시절 미적분이나 복잡한 수학 계산이 어려울 때, 혹은 사람들과 얘기하다가 모르는 속담이 나왔을 때, ‘나는 한국에서 학교를 안 나왔으니까’ 하고 스스로를 “한국에서 학교를 다닌 사람”과 다르게 취급했다. 그냥 정당화였을 수도 있지만 한국에 사는 동안 그러한 행태가 반복되다 보니 내 안에서도 내가 어느 정도 이방인으로 인식되기 시작했다.

내 아이덴티티가 형성되는 십 대에서 이십 대 초반을 그렇게 보내고 나니 나도 모르는 새 그러한 사고방식과 행동방식이 내 관성이 되고 버릇이 되어있었다. 한국에 돌아와서 처음 취직을 준비하면서도 나는 언젠가 떠날 사람이라는 생각을 하고 있었다. 평생 한 곳에 정착해서 살아갈 자신이 없었다.

소설가 김영하의 에세이집 〈여행의 이유〉에 그가 이 년여간 뉴욕에 체류했던 경험을 토대로 쓴 글에 다음과 같은 문장이 나온다. "그러나 거기에 내 그림자는 없었다. 곧 자리를 털고 떠날 구경꾼에 불과했던 것이다. 나는 그 사회에 아무 책임도, 의무도 없었다."

바로 그거였다. 나는 뉴질랜드에서도, 일본에서도, 심지어 한국에서도 스스로를 그냥 구경꾼 정도로 생각하고 있었다. 언젠가 자리를 털고 떠날 사람이라고 여기고 있었고, 그렇기 때문에 자리를 잡고 정착하고 있지 않았고, 붕 뜬 존재가 되어 있었다. 그게 내 관성이었고 습관이었다.

그렇다고 내가 살고 있는 곳에서 환영받지 못했다거나 적응하지 못했던 것은 아니다. 나는 제주에서도, 오클랜드에서도, 도쿄에서도, 그리고 서울에서도 행복했고, 지인과 친구를 만들어서 적응했으며, 내 스스로의 자리를 만들었다. 다만 완전히 발을 붙이진 못했다. 집이 아닌 기숙사나 일 년 단위의 단기적 계약에 묶인 자취방에 살았다. 굳이 거리를 두고자 하지 않았으나 굳이 정착하고자 하지도 않았다. 항상 어느 정도 붕 떠 있는 존재로 남았다.

그러기를 십여 년, 실질적으로 기억하고 있는 인생의 시간 속 나는 대부분 붕 뜬 존재였다. 어디서든 붕 뜬 존재로 살아가자니 내 스스로가 이제는 불안정하게 느껴지기 시작했다. 어느 곳에 있어도 안정적이지 못했고 마음을 놓지 못했다. 조금씩 안정감과 소속감을 더 열망하게 되었고,

나에게도 돌아갈 자리가 있었으면 좋겠다고 생각하기 시작했다. 그래서 이제 서울을 내 돌아갈 자리로 삼아보려고 하는 중이다.

언젠가 어디선가 다시 이방인으로 살아갈 수도 있고, 그 선택지는 물론 아직 열려 있다고 생각한다. 외국에서 살아오고 자라온 경험은 내 안에 존재하고, 언제든 다시 나가고자 하면 나갈 수 있을 테지만, 한 곳에 정착해서 소속되어 있다는 안정감을 경험하고 싶다는 열망이 여느 때보다 강하다.

이방인으로 살아가기는 쉽다. 언젠가 어딘가로 다시 떠나면 나는 다시 이방인이 되어 살아가게 된다. 그러나 현지인으로 인정받기는 어렵다. 한두 해 정도로 되는 게 아니다. 다년의 경험과 인생이 녹아 있을 때 당신의 도시는 당신을 비로소 그들의 일부로 바라봐 줄 것이다. 나는 이방인으로 살기로 선택했었다.

외로움이 성장했다

이방인이 되기는 쉽지만 현지인이 되기는 어렵다

처음 부모님을 떠나 혼자 출국했던 것은 초등학교 4 학년 때 캐나다 밴쿠버로 향하던 비행기에 올랐을 때였다. 삐뚤삐뚤한 글씨로 쓰여진 당시의 일기장을 열어보면 매일같이 엄마가 보고 싶다는 내용만 가득하고, 실제로 인터넷 전화로 매일같이 엄마가 보고 싶다며 울며 전화했던 기억도 있다. 내가 가고 싶다고 해 놓고, 떠날 땐 뒤도 돌아보지 않고 씩씩하게 떠나 놓고, 낮에는 밴쿠버에서 세상에서 제일 신나게 잘 놀아 놓고, 해가 지기 무섭게 엄마가 보고 싶다며 엉엉 울곤 했다.

그렇게 한국에 돌아와서 초등학교를 졸업한 열세 살의 나는 또 스스로의 선택으로 뉴질랜드 오클랜드로 향하는 비행기에 올랐다. 이번에도 역시 혼자였고, 떠날 때는 역시 뒤도 돌아보지 않고 씩씩하게 떠났다. 그런데 이번에는 오클랜드 공항에 도착하자마자 울었다. UM 서비스 없이 혼자 탄 첫 비행기에서 나는 심하게 멀미를 했고 - 이때의 트라우마로 나는 지금까지도 기내식을 잘 못 먹는 사람이 되어버렸다 - 열두 시간 정도 되는 비행 후 한껏 수척해진 채 공항에 내린 나를 기다리는 건 커다란 검은 개와 커다란 마오리족 경찰관 아저씨였다. 마약류 검사였겠지만 열셋의 나는 그저 그 커다란 개가 무서웠고, 그래서 달아났고, 경찰은 그런 내가 미심쩍었을 테고, 나를 쫓아와서 내 여권을 요구했고 내 캐리어를 열었다. 덕분에 입국수속이 두어 시간 늦어졌고, 나를 데리러 왔던 보호자 분과의 일정이 어긋나 버렸다.

입국수속장을 벗어나서 나갔을 때 보호자 분은 나를 기다리다 결국 다른 친구를 집에 데려다주러 이미 떠난 상태였고, 겨우겨우 와이파이를 찾아 엄마와 연락이 닿은 나는 바로 울음을 터뜨렸다. 십몇 시간을 아무것도 먹지 못했고, 처음 가는 나라에서 안 그래도 무서워하는 개에게 붙잡혀 있었으며, 몸도 마음도 지쳐 있었고, 혼자였고, 모든 게 두려웠다. 공항에 앉아서 보호자 분을 기다리던 그다음 두어 시간도 정말 지쳤던 기억이 난다. 첫 입국에서 액땜을 전부 한 덕분인지 그 이후로 스물두 살 때까지 계속된 유학생활에서 나는 셀 수 없이 입국장을 들락날락했음에도 - 심지어 코로나 시국에도 여러 번 입출국을 반복했지만 - 단 한 번도 겁먹거나 두려웠던 적이 없었다.

이 때 오클랜드에서의 생활은 밴쿠버 때보다 몇 년정도 성장한 탓이었는지, 감기로 고생하고 아팠던 며칠을 제외하면 많이 울지 않았고 학교에서도 홈스테이 가정에서도 잘 지내고 행복했다. 한국에 계신 엄마에게 매일같이 전화하거나 일기장 가득 엄마가 보고 싶다는 내용으로 가득 채우지도 않았다. 당시 홈스테이 엄마는 통가 분이셨는데, 내가 아플 때면 신라면을 끓여 주셨다. 다만 그 방법을 잘 모르셨는지, 국물은 하나도 없었고 면발은 팅팅 불어있는, 뭐랄까, 볶음면 같은 비주얼이었다. 아픈 와중에도 차라리 스크램블 에그를 먹고 싶다고 속으로 불평했던 기억이 난다. 아직 인터넷이 엄청 느렸던 때라 유튜브 영상 하나를 트는 데 한 시간씩 걸리기 일쑤였기 때문에 홈스테이 가정의 삼 남매였던 모니카, 피터, 투포우와 나는 마당의 나무를 타고 놀았고 날씨가 좋은 주말이면 바닷가나 놀이터로 향했다. 피터와 투포우는 집 앞의 초등학교에, 나와 모니카는 걸어서 10 분 정도 거리의 중학교에 다녔는데, 우리는 하굣길에 항상 아이스크림을 사 먹었다. 피터와 투포우가 한 방에 살았고, 나와 모니카는 각방을 썼는데, 우리는 밖에서는 함께 잘 놀았지만 집에 오면 책을 읽거나 할 일을 하며 각자의 시간을 보내곤 했다.

한국에서는 한창 카카오스토리를, 뉴질랜드에서는 처음 인스타그램을 시작할 때였는데, 가끔 동네 도서관에 가서 와이파이에 연결될 때면 두 계정 전부에 행복한 게시물만 잔뜩 올리곤 했다. 뉴질랜드에서 중학교 생활을 해보고 한국에 돌아온 후 국제학교 진학을 결정한 것도 내 스스로가 뉴질랜드에서 너무 행복했다고 느꼈기 때문이었고, 기숙사에 혼자 살아도 독립적으로 잘 살아낼 수 있다고 믿었기 때문이었다.

실제로 제주도에서 학교를 다니면서도, 이후에 다시 뉴질랜드로 돌아가 고등학교를 다니면서도 나는 꾸준히 잘 살아냈고, 매 번 방학이 끝날 때마다 공항에서 뒤도 돌아보지 않고 씩씩하게 떠났다. 엄마는 매 방학이 끝날 때마다 그게 장하면서도 조금 서운했다고 한다.

그리고 2018 년 9 월, 처음 도쿄로 향하던 날에도 나는 전혀 두려워하지 않았고 인생의 새로운 챕터에 마냥 설레여했다. 방학 스케줄이 어떻게 될지 확실치 않아 처음으로 왕복이 아닌 편도 티켓을 끊었는데, 한국-뉴질랜드보다 훨씬 가까웠어서 그랬는지 전혀 긴장되지도 않았고 실제로 영화 한 편이 채 끝나기도 전에 비행기가 하네다 공항에 착륙했을 때 나는 헛웃음을 지었다 - 기내식은 왜 주는 걸까, 하면서.

도쿄에서의 2018 년도, 2019 년도 즐거웠고, 행복했다. 일본어를 처음부터 배우느라 고생하긴 했지만 새로운 친구들을 사귀었고, 고등학교 때와 비교하면 너무 많은 자유가 주어졌기에 나는 놀러 다니느라 정말 바빴다. 도쿄 내에서 뿐 아니라 일본 곳곳을 여행하기도 했고, 대학에서 만난 친구들과 해외 여행을 다니기도 했으며, 고등학교 친구를 만나러 혼자 해외로 나가기도 했다. 꿈꾸던 대학생활이었다.

2020 년 초, 코로나 19 가 스멀스멀 그 존재를 드러내기 시작하고 있었고 나는 2 학년 1 학기를 마친 겨울방학에 도쿄대 - 서울대 학술교류 동아리 활동을 위해 서울에 일시 귀국해 있었다. 일주일간의 서울 세션을 마친 후 대학 동기 세 명과 함께 프랑스를 2 주간 여행했는데, 첫 일주일의 파리 일정을 마치고 우리가 남프랑스로 내려갔을 때 파리의 모든 관광지가 코로나로 인해 폐쇄되었다. 프랑스에서의 2 주 여행을 끝내고 나는 한국으로, 동기들은 일본으로 돌아가는 비행기에서 우리는 처음 마스크를 썼고, 나는 그 이후로 일 년 이상 동기들을 볼 수 없었다. 코로나가 심각해지며 내 일본 비자에 문제가 생겼고, 나는 도쿄로 돌아가지 못하고 3 학년 2 학기가 시작할 무렵까지 한국에서 온라인 수업을 듣게 된다.

예상치 못한 한국에서의 생활은 곧 초등학생 때 이후 처음으로 가족과 함께 장기간 생활하게 되었음을 의미했다. 물론 불편한 점이 없었다면 거짓말이겠지만, 가족들과 같이 사는 건 생각보다 좋았다. 부족한 것이 채워지는 느낌이었다. 일과가 끝나고 집에 들어왔을 때 인사를 받아줄 부모님이 계셨고, 아침에 일어났을 때 나는 집에 혼자 있지 않았다. 티비를 보더라도 함께 볼 사람이 있었고, 밥을 먹더라도 함께 먹을 사람이 있었다. (채널이나 메뉴를 가지고 동생과 싸우는 일도 종종 있긴 했다.) 그리고 나는, 내가 그동안 외로워했다는 걸 처음 알았다. 내가 혼자 살아내면서 누군가와 대화하고 싶어했다는 것을 알아버렸다.

무언가를 일본어로 번역해 내려고 노력하지 않아도 편하게 말하고 알아들을 수 있었고, 여기서는 서류나 비자 문제가 일어날 리가 없었다. 아프면 쉽게 병원에 갈 수 있었고, 부모님이 나를 챙겨줄 수 있었다. 안 되는 일본어로 은행업무를 보러 다니고 구약소에 다니면서 스트레스를 받아왔고 혼자 아프면서 서러웠다는 걸 깨달았다.

그리고 비자 문제가 전부 해결되어서 도쿄로 돌아갈 날이 확정되었을 때, 나는 울었다. 출국날이 결정되었을 때, 출국이 두려워서 운 건 처음이었다. 아무 겁 없이 밴쿠버로 떠나던 초등학생은 십여 년이 지난 어느 날 고작 두 시간 거리인, 그것도 이미 살다 온 장소인 도쿄로 돌아가는 게 무서워서 울고 있었다. 영어가 통하지 않을 걸 잘 알아서 두려워했고, 일 년 정도를 떠나 있던 학교가 변해 있을까 두려워했다. 일본어를 못하는 것도 아니었고, 가본 적 없는 장소였던 것도 아닌데도 나는 두려워하며 울었다.

무엇보다도 제일 무서웠던 건 다시 혼자 사는 거였다. 내 안의 외로움이 성장해 있었다. 출국 11 일 전일기에 이렇게 써 놓았더라.

"[...] 사실 제일 무서운 건 다시 혼자 사는 거다. 중학생 때부터 혼자 살았었기 때문에 별 두려움 없었는데 코로나로 몇 년 만에 집에서 가족들이랑 생활하고 나니까 하루가 끝나고 집에 돌아갔을 때 아무도 없는 깜깜하고 좁은 기숙사 방이라고 생각하면 그냥 너무 끔찍하다. 생각만 해도 싫어.

이제까지는 가족이랑 같이 오래 지낸 적도 없고 그냥 방학 때 잠깐 머무르는 게 전부였고 내가 주로 생활하는 곳은 나 혼자 사는 해외였고, 가족이랑 같이 산다는 게 어떤 느낌인지 거의 까먹고 있었어서 겁도 없었고 힘들지도 않았는데 이렇게 같이 사는 거에 익숙해져서 다시 혼자 살아가야 한다고 생각하면 눈앞이 캄캄해진다. 너무 싫어.

[대학생활의] 마지막 여름이라고 생각하면 일본에서 지내는 것도 나쁘지 않다고 생각했는데 혼자 생활한다는 사실만 생각하면 아직 떠나지도 않았는데 집에 가고 싶다. 혼자 살 생각만 하면 엄마 옆에서 떨어지기 싫은 게 그냥 나이를 거꾸로 먹나 봐. [초중학생] 때는 울지도 않고 혼자 지구 반대편도 잘 갔는데.

[...]

이제까지는 아무 거리낌 없이 기숙사를 그냥 home 이라고 불렀는데 진짜 home 에 살아버려서 이제 그것도 못할 것 같다."

그리고 실제로 도쿄에서 혼자 지낸 마지막 2 년 동안 나는 내 전체 유학생활을 통틀어서 가장 외로움을 많이 느꼈다. 매일 밤 요요기 우에하라 역에서 자취방으로 향하는 8 분여의 도보는 항상 무거운 발걸음의 연속이었고, 열쇠를 돌려 문을 열고 들어갔을 때 불 꺼진 방이 나를 마주하면 나는 매 번 좌절했다. 자취방에 친구들을 자주 초대했다. 그리고 이 때부터 옆 동네의, 옆 도시의, 옆 나라의, 혹은 지구 반대편의 가족, 친구들과 몇 시간이고 보이스톡을 하거나 페이스타임을 하는 습관도 생겼다. 화장을 할 때도, 요리를 할 때도, 닌텐도 스위치를 하거나 웹서핑을 할 때도 혼자 하는 것보다 누군가와 전화하며 하는 것이 좋았다. 그만큼 누군가와 이야기하고 싶었고, 그만큼 혼자라는 사실이 싫었다.

가족과 함께한다는 것의 가치를 몸소 느낀 이후의 나는, 외로움을 참 많이 타는 사람이 되어 있었다. 독립적이었던 이방인의 속에 내재되어 있던 외로움이 코로나라는 강제적 환경에 의해서 발현하고 성장한 것이다. 나는 성장했으나 내 외로움도 성장했다. 나는 독립적이었으나 외로움을 참 많이 타는 사람이 되었다.

집

내 선택의 결과였지만 아무튼 평생을 이방인으로 살아온 나였기에 나는 특정한 장소가 아닌 특정한 사람들을 "집"이자 안식처로 인식하고 사람을 중심으로 장소나 기억들을 엮어 나간다. 물론 그렇다고 내가 특별하게 여기는 장소가 없는 건 아니다. 다만 나에게 "집"이나 특별한 장소는 대체로 사람이나 사람을 중심으로 한 기억을 의미할 뿐이다.

한 예로 내 본가가 있는 강릉은 나에게 강릉 자체가 주는 의미보다는 "엄마아빠"라는 의미가 크다. 다르게 말하면, 나에게 "집"은 강릉이 아니라 그게 어디가 되었든 엄마아빠가 계신 장소이다. 강릉에 큰 추억이 있다기보다는 엄마아빠와 함께한 기억이 있는 거니까.

나에게 고등학교의 추억은 뉴질랜드 오클랜드라기보다는 가장 친했던 친구들인 클로이, 첼시 그리고 상헌이고, 대학의 추억은 가장 친했던 친구들인 코토, 초이, 폴, 그리고 준영이다. 사람들에게 내 기억들을 엮어놓는다. 강릉도,

오클랜드도, 도쿄도 나에게는 큰 의미를 가지는 장소지만 다른 장소에, 다른 시간에 위의 사람들과 함께 있다면 나는 다시 그때 그곳으로 나를 돌려놓을 수 있다.

스물 세 살인 지금도 클로이와 만나거나 전화할 때면 내 말투와 행동은 다시 열일곱이 된다. 상헌이나 첼시를 만나도 마찬가지다. 술을 먹고 클럽을 가는 등 그때는 못 했던 것들을 할 순 있지만, 그 친구들을 만나면 나는 다시 고등학생이 된다.

어느 일요일 저녁, 압구정에서 대학교 때 친구들과 선배들을 만났다. 다들 일본에서 대학을 나왔지만 한 명은 미국인으로 미국 내에서 여러 주를 옮기 다니다가 대학을 일본으로 왔고, 한 명은 미국 국적인데 한국과 뉴질랜드에서 자랐고, 한 명은 필리핀 사람인데 학창 시절을 베트남에서 보냈고, 나머지 셋은 한국 국적이지만 각자 한국과 뉴질랜드, 미국과 캐나다, 그리고 한국과 일본에서 학창 시절을 보냈다.

미국에서 자란 친구 빼고는 그 누구도 특정한 국가를 집으로 여기지 않았다. 나는 한국이 내 집이라고 믿어 의심치 않았으나 한국에서 산지 일 년도 안 되어 그 생각이 깨졌다. 한국은 나에게 집이 되어주지 못했다. 미국에서 자란 친구도 특정한 장소가 "집"인건 아니었다. 어차피 부모님이 사는 곳에 가 봤자 함께 자라온 친구가 있는 것도, 많은 추억이 있는 것도 아니기 때문에 그냥 부모님과 밥을 먹고 시간을 보내는 게 전부라고 했다. 살아온 다른 모든 장소와 마찬가지로 언젠가 돌아갈 수도 있는, 잠깐 살았던 도시 정도의 의미를 가진다고 말했다. 그리고 우리는 모두 공감했다.

이제 도쿄에 가 봤자 내가 도쿄에서 가장 오랜 시간을 함께하던 사람들은 대부분 없다. 뉴질랜드에 가 봤자 내가 뉴질랜드에서 가장 많은 기억을 만든 사람들은 거기에 없다. 제주도, 강릉도 마찬가지다. 오클랜드에서 학교를 다닐 때 나에게 집은 내 룸메이트였던 첼시였고, 대학 시절 나에게 집은 친구들이었고, 도쿄에서의 마지막 6 개월 동안 나에게 집은 잠깐 같이 살던 남동생이었고, 전 남자친구를 만나던 시절에 나에게 서울에서 집은 그였다. 나에게 "집"은 항상 사람이었다. 살고 있는 기숙사 방에, 아파트에 물리적으로 들어갔을 때 마음이 편해진다기보다는 내가 집으로 여기는 사람들의 곁에 있을 때 나는 편안함을 느꼈다.

압구정에 모인 우리는 이런 얘기에 전부 공감할 수 있는 방랑자들이었다. 우리 모두에게 "집"은 항상 사람이었다. 살면서 처음 가 보는 곳이라도 가장 친한 친구들이, 가장 사랑하는 사람들이 있는 곳이라면 그곳에서 우리는 편안했고, 안정감을 느꼈고, 그곳이 곧 집이 될 수 있었다. 한 장소에서, 한 국가에서, 몇 년 이상 터전을 내리고 사는 자신의 모습이 잘 상상이 안 간다고 했다. 실제로 나와 한 명의 친구를 제외한 모두는 지금 살고 있는 나라에서 새로운 곳으로 떠날 준비를 하고 있었다.

새로운 곳에서 새로운 사람들을 만나고 관계를 쌓으면 그 사람이 당시의 나에게 집이 되어준다. 그 어느 곳도 우리에게 집이 되어주지 못했으나 역설적으로 우리가 필요로 하는 사람이 있는 곳이면 그 어느 곳이라도 우리에게 집이 될 수 있었다.

네 바퀴 자전거 (1)

이방인이 된 TCK 의 이야기는
내 친구 초이의 이야기이자 나의 이야기였다

대학교 4 학년, 다큐멘터리를 제작하는 교양 수업을 들었다. 가장 가까운 친구였던 초이의 이야기로 15 분 정도 되는 다큐를 만들었다. 대상은 초이였고 다큐를 제작하는 과정에서 교수님의 피드백을 한 두 차례 받기도 했지만 기획도, 촬영도, 감독도, 편집도 전부 내가 맡아서 내 친구를 담는 프로젝트였다. 초이의 이야기는 이방인으로 자란 TCK 의 이야기였고 그건 결국 내 이야기이기도 했다. TCK 란 Third Culture Kids (제 3 문화 아이들)의 앞 글자를 딴 말로, 성장기를 두 개 이상의 문화권에서 보내면서 그 문화들을 모두 수용하게 된 아이들을 뜻한다.

내 2022 년작 〈네 바퀴 자전거〉는 내가 4 년 간 관계를 쌓아오면서 가까이에서 찍어 놓은 초이의 영상들에 김광석의 노래 "두 바퀴로 가는 자동차"가 깔리면서 시작한다.

“두 바퀴로 가는 자동차

네 바퀴로 가는 자전거

물 속으로 나는 비행기

하늘로 나는 돛단배”

이 다큐멘터리는 대부분이 영어로 이루어져 있다. 영상매체를 글로 그대로 옮기는 건 쉽지 않고 영어의 뉘앙스를 한국어로 옮기는 것도 쉽지 않았지만, 이하는 다큐멘터리 〈네 바퀴 자전거〉의 의역이다. 이미 내 의도대로 내 손으로 기획하고 편집한 다큐멘터리지만 그 영상을 글로 바꾸고 영어를 한국어로 의역하는 과정에서도 꽤 많은 각색이 들어갔음을 밝힌다. 글의 매끄러움을 위해 한두 문장쯤은 초이가 직접적으로 하지 않은 말도 그의 말의 형식을 빌려 기술해 놓았다. 다큐의 초이는 내 친구 초이가 맞지만 이 에세이에서 "초이"로 등장하는 인물은 내 친구 초이의 경험이라는 토대 위에 나의 생각이 약간은 점철된, 5 퍼센트쯤은 가상의 인물이다.

초이가 본인의 도쿄 집에 앉아 일렉기타를 연주한다.

초이 -- 내 이름은 최지웅이다. 싱가폴에서는 아무도 "지웅"이라는 내 이름을 제대로 발음하지 못했기 때문에 결국 나는 "초이"로 불리게 되었다. "초이" 역시 틀린 발음이었음에도 불구하고 말이다.

행신초등학교를 반 년 정도 다녔을 때, 그러니까 초등학교 1 학년 때 우리 가족은 싱가폴로 이민을 가게 된다. 어느 날 내 부모님은 나와 형을 거실에 앉혀 두고 우리가 이제부터 일 년 내내 여름인 조그마한 섬나라로 가서 살게 될 거라고 말씀하셨다. 우리는 화를 냈고 울고불고 거부했지만 부모님을 따라갈 수밖에 없었다. 2005 년 8 월, 그렇게 여섯 살의 나는 싱가폴로 가게 되었다. 그리고 2006 년 1 월, 나는 다시 초등학교 1 학년이 되었다. 그때부터 나는 평생 내 동급생들보다 한 살이 많았다.

나 -- 사람들이 너한테 "어디서 왔냐"고 물어보면 뭐라고 대답해?

초이 -- 주로 싱가폴이라고 먼저 대답하는 것 같다. 나는 주로 그 사람들과 영어로 대화하고 있을 거니까. 그렇다고 내가 싱가폴 사람이라고 하지는 않는다. 그건 거짓말이니까. 그냥 싱가폴에서 왔다고만 말하고, 내가 어디서 왔는지 더 자세히 물어보고 궁금해하고 뭐랄까, 꽤나 내 출신지에 집착하는 사람이면 그 땐 한국인이라는 사실을 밝힌다.

며칠 전에 시부야 한복판을 걷고 있었는데 영어 관련 캠페인 활동을 하는 봉사자들이 있었다. 그들은 영어를 구사하는 봉사자들을 찾고 있었고, 캠페인 활동을 하던 여자애가 좀 예뻤고, 마침 나는 시간이 좀 남았었기 때문에 우리는 대화를 시작했다. 그녀가 나에게 어디서 왔냐고, 이름이 뭐냐고 물었고, 나는 한국이라고 대답하고 싶지 않았다. 한국에서 왔다고 하면 내 모국어가 영어라는 사실이 설명되지 않을 테니까. 그래서 그냥 싱가폴에서 왔다고 대답했고, 이름은 Darren Tan 이라고 해 버렸다. Darren Tan 은 그냥 싱가폴인 이름, 하면 가장 먼저 떠오르는 이름이다. 싱가폴 길거리를 한 번 지나간다고 하면 아마 다섯 번은 마주칠 수 있을 거다.

이상한 경험이긴 했다. 내가 사용하고 있는 언어와 내가 스스로 규정하는 출신지의 긴밀한 관계에 대해서, 내 이름과 내 국적이 타인이 나를 규정할 때 어떠한 고정관념으로 작동할 수 있는지에 대해서 생각해 볼 수 있었다.

나 -- 네 "집 (home)"은 어디야?

초이 -- 일단 한국에는 내가 돌아갈 수 있는 물리적인 주소가 없고, 나는 우리 외가 사람들이랑 친한 사이도 아니다. 친가 쪽 친척들과는 사이가 좋긴 하지만 그분들은 다 부산, 무주 쪽에 살고 계시는데 나는 거기 살아 본 적도 없고. 그러다 보니 한국이 집이라고는 생각해 본 적 없는 것 같다.

그러니까 나한테 "집"은 (부모님이 살고 계시는 싱가폴 본가 주소를 말했다.) 여기다. 싱가폴.

나 -- 근데 싱가폴에서 너는 외국인이잖아. 그렇지?

초이 -- 싱가폴에서 나는 국제학교에 다니는 애들을 별로 안 좋아했다. 그런데 사실 내가 다녔던 학교도 130 년의 역사를 가진 명문학교였으니까 또 로컬 일반학교는 아니었다. 버스에서 우리는 국제학교 애들을 싫어했고 로컬 싱가폴 학생들은 우리를 싫어하고 있었다. 뭐랄까, 얼마나 백인 문화권에 더 가까운지(white-washed) 의 위계질서가 등하굣길 버스 안에 존재하고 있었다. 내가 한국인인 것뿐만 아니라 그런 학교에 다녔다는 사실도 나를 싱가폴에서 외부인으로 만드는데 일조했던 것 같다.

그렇다고 지금 내가 당장 서울에 간다면 잘 녹아들어갈 것 같지는 않다. 겉으로 봤을 때 티는 덜 나겠지만, 더 잘 숨을 수는 있겠지만, 완전히 일부가 되지는 못할 거다. 싱가폴에 있는 편이 훨씬 자연스럽겠지.

다음 장면에서 우리는 시부야 거리의 수많은 사람들과 높게 뻗은 건물들 사이를 함께 걷는다.

초이 -- 도쿄의 모든 사람들은 같은 "색"이다 - 전부 동아시아인이니까. 전부 일본인이니까. 그런데 싱가폴에서 거리를 걷다 보면 다양한 "색"과 마주하게 된다. 다양한 언어가 들리기도 하고. 중국어만 해도 다섯 종류는 들려온다. 음식을 주문하려고 하면 아줌마가 세 가지 버전의 중국어로 말을 걸어온다. 그러고 나서야 내가 그 세 가지 중국어 중 아무것도 모르는 걸 알아내고, 그제야 영어로 말을 걸어주곤 하니까.

네 바퀴 자전거 (2)

어린 시절 한국의 기억

초이와 나는 매주 일요일이면 함께 작은 한인 개척교회에 나가곤 했다. 또 우리는 미국인 교수님이 다니던 St. Alban's 라는 영어예배가 진행되는 교회에도 몇 번 같이 간 적이 있다.

전철에서 내려 한인교회까지 걸어가는 길에서 초이는 종교와 언어에 대해 이야기한다.

초이 -- 한인 교회에 가면 주기도문, 사도신경을 한국어로 외우게 된다. 그리고 나에게 한국어로 된 주기도문과 사도신경은 내 기억이 시작된 시점부터, 내가 말을 할 수 있었던 나이부터, 내가 외우고 있던 내 개인적인 전통이기도 하다. 그래서 똑같은 주기도문, 사도신경이라도 한국어로 할 때와 영어로 할 때의 느낌이 많이 다르다.

설교를 듣는 것도 한국어일 때와 영어일 때 느낌이 굉장히 달랐다. 전에 St. Alban's에 갔을 때 목사님이 요한복음에 관한 설교를 하셨는데 거기서 "word"가 주님과 함께하신다고 하셨다. 전혀 와닿지가 않았다. "말씀"이 주님이고 "말씀"이 주님과 함께하신다고 해야 맞는 것 같았다. 그 단 하나의 단어가 나에게 있어 그 설교의 모든 것을 바꿔놓았다. "말씀"이라고 하면 충분히 와닿을 수 있는 내용인데 "word"라는 한 단어로 이렇게 달라지다니. 교회에 가는 면에 있어서, 그러니까 종교적인 측면에 있어서는 그 언어가 한국어여야만 하는 것 같다. 너무 어릴 때부터 쭉 한국어였으니까. 이건 아마도 평생 변화하지 않을 것이다.

도쿄에 눈이 많이 오던 날이다, 초이는 집에서 차를 끓이며 이야기한다.

초이 -- 가족이랑 오스트레일리아 여행을 간 적이 있다. 한겨울 퍼스의 길거리를 걷고 있었는데, 무언가 타는 냄새가 났다. 추위와 뭔가가 타는 냄새. 나에게 그건 여섯 살 서울의 기억이었다. 추운 와중에 뭔가 타고 있는 냄새가 나면 여섯 살의 내가 서울의 길거리를 걷는 게 된다. 추위와 뭔가가 타는 냄새는 나에게 있어 서울의 것이었다. 그 가족여행은 내가 동경대에 오기 직전이었다.

도쿄에서의 첫 겨울은 서울을 기억나게 했다. 추위가 존재했기에 그냥 서울을 걷는 것 같았다. 도쿄 같은 게 아니라 서울 같은 느낌이었다. 그러나 몇 번의 겨울이 지나고 서울의 감각은 도쿄의 감각으로 대체되었다. 나는 이제 "추운 겨울"하면 도쿄를 떠올린다. 추울 때면 서울을 떠올리고는 하던 강한 노스탤지어를 잃고 말았다. 약간 슬픈 것 같기도 하고.

언젠가 겨울의 서울을 방문하게 되면 도쿄 같다고 느끼고 있지 않을까.

우리는 우리의 모교인 도쿄대 캠퍼스에 있다. 눈이 쌓여있고, 초이는 단발로 긴 머리를 묶고 있다. 우리는 눈싸움을 하다가 학교 내에 동상이 세워질 정도면 아마 우리 민족의 적이 아닐까 하는 단순한 생각으로 스노우볼을 동상에 던지며 "대한독립만세"를 외치고 애국가를 부른다. 다른 친구들과의 약속이 있어 이동하는 전철에서 초이는 스마트폰으로 항상 하던 마작 게임을 한다.

우리는 폴과 매튜를 만난다. 나를 포함한 우리 넷은 모두 한국인이지만 모두 다른 문화를 경험하며 성장했다. 한국어를 쓸 때도 있긴 하지만 우리는 주로 영어로 대화한다. 그런데 꼭 "X발"이라는 욕은 한국어여야 한다. 이야기 도중에도 "Oh, that's truly X발"이라는 문장이 나와버린다. "Fxxk"으로는 그 특유의 느낌이 안 살아서 안 된단다.

우리 네 명은 같이 노래방에 간다. 먹고 마시고 논다. 마이클 잭슨의, 비틀즈의, 퀸의 노래를 부르다가, 올리비아 로드리고의 노래를, 카녜 웨스트의 노래를 부르다가, 에반게리온 주제가를 부르다가, DJ DOC 의 노래를, 또 아이유의 노래를 부른다.

다음 장면에서 우리는 다시 시부야를 걷는다.

초이 -- 저번에 시부야 츠타야에 갔을 때 동방신기 일본컴백 행사를 하고 있었다. 내가 한국에서 유치원에 다닐 때 동방신기가 되게 인기 많았었던 것 같은데. 나는 뭔지도 모르고 케이팝, 유명한 사람들, 멋있는 거 하는 사람들, 정도로 생각하고 동방신기 동방신기 거렸던 것 같은 기억이 어렴풋이 난다. 그랬던 그들이 아직도 활동 중이었다니 놀랍지 않은가. 이제 쉰 몇 살쯤 된 건가.

나 -- 아직 30 대일 거야...

초이 -- 시간에 갇혀 있는 사람들이냐. 아무튼 그래서 지금 그 앨범이 아직 있나 보려고 한다. 한국에서의 어린 시절 재현하기.

장면은 다시 초이의 집으로 돌아간다. 초이는 비비탄 총을 들고 있다. 나는 왜 총을 가지고 있는지 묻는다. 초이는 자기 방어용이라며 웃는다.

초이 -- 비비탄 총은 한국에서 남자아이라면 누구나 가지고 노는 장난감이다. 남자아이들의 문화인 거다. 한국에 살았을 때 데저트이글이라는 큰 권총을 가지고 있었다. 어린 남자아이였던 나는 매일 비비탄을 쏘고 돌아다녔고 내 데저트이글을 정말 좋아했다.

그리고 싱가폴으로 이민을 갔다. 싱가폴에서는 아무것도 허용되지 않았다. 비비탄 총을 팔지도 않고, 들고 있다간 공항에서 압수당한다. 그렇게 평생을 비비탄 총 없이 살았다.

그런데 이제 돈키호테에서 비비탄 총을 마음껏 살 수 있는 나라에 살게 되었다. 어쩌겠냐. 사야지. 항상 루거라는 독일 권총이 갖고 싶었다. 사러 갈 거다.

초이가 돈키호테에서 비비탄 총들을 구경한다. 그리고 장면이 다시 초이의 집으로 전환된다. 뒤에는 한 쪽 벽면 빼곡히 영어로 된 책들이 쌓여있다. 실제로도 초이는 내가 아는 모든 사람 중에 책을 가장 많이 읽는 사람이다.

나 -- 너는 몇 가지 언어를 할 수 있어?

초이 -- 몇 개 국어를 하냐고? 셋? 넷? 입시원서에는 영어, 한국어, 중국어, 일본어 네 개 국어 가능이라고 적는다. 실제로는 두 개, 어쩌면 한 개려나. 일단 영어. 영어는 당연히 잘 한다.

한국어...는 네가 볼 때 어떤 것 같냐. 솔직히.

나 -- 폴 보다는 잘하는 것 같다. 그런데 네가 한국말을 할 때면 되게 우리 아빠같이 말한다. 굉장히 아저씨 같은 말투를 가졌다.

초이 -- 아무래도 내가 접한 한국어는 전부 부모님이었으니까. 아빠가 엄청 장난기가 많으신 편이라 말할 때 더 그런 말투를 쓰시는데 그걸 배운 것 같기도 하고.

다큐멘터리 내내 영어로만 말하던 초이가 처음 한국어로 말한다.

초이 -- 한국말. 한국말.. 할 수 있죠. 왜 제가.. 한국말 못...

금세 포기하고는 다시 영어로 말하기 시작한다.

초이 -- 와, 나 진짜 한국말 못한다. 젠장.

나는 한국어로 말하고 초이는 영어로 말한다.

나 -- 내가 한국말로 말 걸어도 매 번 영어로만 대답하잖아.

초이 -- 그건 그래.

나 -- 봐, 지금도.

초이 -- 한국어로 생각해 보려고 했는데 단어가 안 나온다.

우리는 다시 영어로 대화한다.

나 -- 한국에 살고 싶어?

초이 -- 살고 싶다. 잠깐은. 아마도.

나 -- 결국 최종적으로 정착하고 싶은 곳은 어딘데?

초이 -- 결국 정착하고 싶은 곳?

.... 애리조나.

김광석의 "두 바퀴로 가는 자동차"가 이어서 나온다. 엔딩크레딧이 나오고 마지막 화면에 다큐멘터리의 제목 〈네

바퀴 자전거: Four-Wheeled Bike〉가 나올 때까지 노래는 이어진다.

“남자처럼 머리 깎은 여자 / 여자처럼 머리 긴 남자

가방 없이 학교 가는 아이 /비 오는 날에 신문 파는 애

복잡하고 아리송한 세상 위로 / 오늘도 애드벌룬 떠 있건만

독사에게 잡혀온 땅꾼만이 / 긴 혀를 내두른다

독사에게 잡혀온 땅꾼만이 / 긴 혀를 내두른다”

다큐의 첫 편집본을 제출했을 때 이메일로 받은 교수님의 피드백을 마지막으로 이 에세이를 마치려고 한다. 꽤 오랫동안 동영상을 찍고 나름대로 편집하는 것을 재밌는 취미로 생각했는데, 이 수업을 통해 초이라는 대상에 집중한 다큐를 제작하면서 영상 제작에 대한 생각을 참 많이 하게 되었다. 내가 어떻게 인터뷰하고, 촬영하고, 편집하냐에 따라 내 친구는 아예 다른 사람이 되어 있을 수도 있는 거였다.

“You have made a really beautiful portrait and so many of the themes you covered spoke to me and will speak to many of the students in our class. You are a really sensitive and gifted interviewer, cameraperson and editor, and I really enjoyed watching this."

(2022 년 1 월 15 일, Ian Ash 교수님으로부터의 이메일에서 발췌)

무한도전, 그리고

문화는 국가의 정체성을 대표하지 않으나,
한국 문화는 나의 정체성이었다

문화는 더이상 국가의 정체성을 대표하지 않는다. 케이팝 아이돌 그룹에는 많은 외국인이 소속되어 있고 일본 작가의 소설은 2010 년대 후반, 한국에서 일어난 불매운동에도 불구하고 꾸준히 한국 서점들의 베스트셀러 랭킹에 이름을 올렸다. 소비자는 문화 컨텐츠의 출신 국가를 그다지 염두에 두지 않은 채, 컨텐츠는 컨텐츠로써 소비한다.

K-pop 에서 K 는 "Korea"의 약자로, 한국적인 것을 의미하고 있지만, 케이팝 그룹에는 외국인이 많이 소속되어 있고, 외국에서 발매되는 케이팝 앨범은 현지의 언어로 가사가 쓰이는 경우도 많으며, 한국적인 특색을 눈에 띄게 찾아볼 수 있는 노래는 별로 없다. 일본 문학도 마찬가지이다. 한국에서 인기가 많은 일본 문학은 대부분 한국어 번역판이고, 정서나 문화에 맞게 제목을 바꿔 책이 출간되는 경우도 있다.

내가 일본에 살던 때, 한일관계는 좋지 않았다. 2019 년의 무역 분쟁 등이 촉매가 되어 급격히 악화된 한일관계는 민간 친밀도도 저하시켰다. 당시 여론조사에서는 한국인과 일본인의 각 80%이상이 한일관계가 나쁘다고 응답했고, 양국민 모두 앞으로의 전망도 좋지 않을 것으로 예상하고 있었다. 2020 년에는 코로나 19 가 원인이 된 일본의 입국제한을 시작으로 보복성 비자효력 중지 등이 이어지면서 양국의 관계는 점점 악화되었다. 이 때 나는 일본에서 학교를 다니는 학생이었음에도 불구하고 비자 문제 때문에 일 년이 넘게 일본으로 돌아가지 못했다.

그리고 한국에서는 일본 제품 불매운동이 이어졌다. 도쿄대 - 서울대 학술교류 동아리 활동을 위해 일본 친구들과 함께 한국에 왔을 때, 길거리 곳곳에 노 재팬 포스터가 붙어 있어 괜히 내가 민망해지기도 했다. 그러나 서점가에는 불매운동의 효력이 크게 닿지 못했다.

독자들은 작가 그 자체, 작품 그 자체를 좋아하는 것이지 그 작품에서 일본의 문화적 특성이나 국가적 정체성을 찾지는 않는다. 즉, 일본 문학이 일본에서 왔다는 사실을 굳이 생각하지 않고 작품 자체를 소비하는 것이다. 독자들은 '일본 소설'에 열광한다기보다는 '히가시노 게이고', '무라카미 하루키'라는 작가에, 혹은 〈돌이킬 수 없는 약속〉이라는 작품 자체에 열광하는 것이다. 반대의 경우에도 마찬가지이다. 한일관계가 악화되었음에도 일본에서는 한국음식이 큰 인기를 끌었고 시부야 중심가에는 케이팝 아이돌이 전광판에 항상 등장하고 있었다.

문화는 더이상 한 국가의 정체성을 상징하는 게 아니라, 컨텐츠 자체로서 소비된다. 어디의, 어떤 문화라도 몇 번의 클릭으로 금방 접할 수 있는 세계화된 현 시대에서는 어쩌면 당연한 것일지도 모른다.

그러나 이방인으로 살고 있는 나에게는 달랐다. 한국 문화는 나에게 있어, 내 정체성을 놓지 않게 하는 끈이었다. 한국 문화는 타지에서 내 정체성을 유지하게 하는 도구였다.

때로는 한국 문학 수업을 듣기 위해서, 때로는 그냥 독서 자체를 목적으로 한국 책을 계속 읽었다. 꽂힌 드라마가 있으면 밤을 새워서 몰아봤다. 주로 한국 드라마였다. 고등학교의 한국인 친구들끼리 태권도 동아리를 만들었다. 이베이로 도복과 띠를 사고, 학교 탤런트 쇼에서 품새와 격투 씬들을 노래에 맞춰 선보였다. 같은 학년의 한국인끼리 뭉쳐 방과 후에, 주말에 모여 연습한 결과 만들어낸 무대로 상을 탔다. 케이팝 댄스 동아리의 리더를 맡았다. 한국 문화를 사랑하는 외국인 친구들과 케이팝 춤을 췄다. 대학에 가서도 케이팝을 메인으로 하는 댄스스튜디오에 다녔고, 케이팝 커버댄스 동아리 활동도 했다. 나보다 한국 아이돌을 더 잘 아는 일본인 친구들과 춤추고 놀며 케이팝 문화를 배웠다. 가끔은 내가 한국어를 가르쳐 주기도 했다. 나에게 K-pop 의

"K"는 여전히 "Korea" 였다. 유학생활 내내 페이스북과 인스타그램으로 계속 한국의 문화를 좇았다. 내 알고리즘은 여전히 영어와 한국어가 반반씩 뜬다.

무한도전이 종영한 2018 년까지 나는 외국에 살면서도 나만의 작은 버릇이 있었다. 일요일 오전 10 시에 꼭 그 전날 방영한 무한도전을 봤다. 한국에 살던 때나 방학 때는 꼭 토요일 오후 6 시 20 분에 11 번 채널을 틀어 본방을 챙겨봤지만, 뉴질랜드에서는 시차도 있었고, 인터넷에 올라오기를 기다려야 하기도 했다. 일주일에 한 번, 매 주 일요일 아침마다 무한도전을 보는 게 나한테는 한국으로 돌아가는 것과 같았다. 한국에 살면서 엄마아빠와 함께 챙겨보던 방송을 지구 반대편에서 혼자 챙겨봤다. 재밌어서도 있었지만, 그걸 놓을 수가 없었다. 내 정체성이었다. 한국인으로서의 나를 지키는 내 나름의 방법이었던 것 같다. 방학 때 한국에 돌아와 한국 친구를 몇 년만에 만나도 나는 한국 유행에 뒤쳐지지 않고 있었다. 저번 주에 방송한 무한도전의 내용을 여전히 꿰뚫고 있었다.

문화는 국가의 정체성을 대표하지 않지만 한국 문화는 내 한국인으로서의 정체성의 전부였다. 사는 곳도, 주로 쓰는 언어도, 주로 만나는 사람들도, 모든 것이 한국과 동떨어져 있을 때 나는 무한도전을 계속 봤다. 매 주 봤다. 한국어로 된 소설을 읽었고, 한국 드라마를 시청했다. 관뒀던 태권도를 다시 시작했고, 알지도 못했던 케이팝을 배웠다.

한국에 돌아와서 살고 있는 요즈음은 그냥 나 편한 대로 한다. 태권도와 춤은 관둔 지 오래고, 드라마도 잘 보지 않는다. 가끔 다들 보는 예능이나 드라마 정도는 보긴 한다. 소설은 주로 영어로 읽는다. 한국어로 된 소설책은 안 읽은지 몇 년 된 것 같다. 가끔 에세이집이나 교과서 정도만 한국어로 읽는다. 그런데 무한도전은 버릇이 되어버렸다. 종영한 지 6 년이 넘었는데, 나도 한국에 완전 귀국한 지 2 년이 다 되었는데, 나는 아직도 집에만 있으면 버릇처럼 무한도전을 튼다. 그냥 계속 보고 있는다. 무슨 멘트가 나오고 어떤 장면이 나올 지 다 외워 버려서 미리 웃는다. 무한도전을 보고 있자면 내가 꾸준히 이들과 함께했던 사람인 것 같아서, 동떨어져 있는 이방인이 아니었던 것 같아서, 내가 모든 걸 알고 있어서, 기분이 좋다. 그 무엇도 나에게 주지 못하는 꾸준함의 느낌이 좋다. 떠돌던 내가 느껴보지 못한 그 익숙한 기분이 좋다. 물론 그냥 재밌어서, 웃겨서 보는 것도 맞다.

2 부.

인생은 작은 인연으로 아름답다

낮은 명도의 사람

나 스스로를 사랑해 주기

나는 어느 순간부터 내 스스로를 사랑하지 못했다. 사랑은 커녕, 나의 많은 면을 미워했고 싫어하기 시작했다. 심할 때는 온 세상에서 내가 제일 싫었다. 그러나 역설적이게도 내 기도는 항상 나를 위했다. 내가 나를 조금만 덜 미워하게 해 달라고 빌었다.

"내가 나를 조금만 덜 미워하게 해 주세요.

스스로를 좋아하는 것까지는 바라지 않는데요,

굳이 나를 세상에서 제일 싫어할 것까진 없잖아.

죽고 싶어도 안 죽고 버티게 해 주세요.

나를 해치고 싶고 학대하고 싶어도

그런 나를 붙잡고 버티게 해 주세요.

자제력을 잃지 않게 해 주세요.

나를 싫어하는 일,

결국 다치는 것도 힘든 것도 나 혼자일 뿐인 그런 일,

이제 그만하게 해 주세요.

아예 멈추진 못하더라도

그냥 조금만 덜 미워하게 해 주세요.

나 스스로를 책임지고 살리게 해 주세요.

나를 살려 주세요."

(2018 년 5 월의 기도)

나는 학창 시절 내내 노력에 비해서는 성적이 항상 잘 나오는 편이었고 공부를 꽤 잘하는 편이었다. 아주 예쁘진 않지만 내 외모에 크게 불만을 가지지도 않았던 것 같다. 대단한 부자는 아니었어도 꼭 하고 싶은 건 대부분 지원해 주시는 부모님이 계셨고, 엄청난 인싸는 아니었어도 원만한 인간관계를 유지하고 살았다. 그러니까 나는 내 스스로와 내

환경에 크게 만족하진 않았어도 또 딱히 불만도 없는 사람이었다.

그런데 아주 어렸을 때 만난 남자친구가 나를 할퀴는 말들을 툭툭 던진 적이 있었다. 나를 가장 예쁘게 보고 사랑해줘야 하는 사람이 어느 순간부터 내 외모를 다른 사람들과 비교했고 품평하기 시작했다. 나는 한순간에 못생기고 뚱뚱한 여자가 되었다. 또 그의 말에 의하면 나는 문제 있는 성격을 가진 사람이었다. 나는 한순간에 사회성이 결여된 문제아가 되어버렸다. 그렇게 나를 할퀴었던 말들은 때때로 큰 상처를 남겼고 꽤 많은 상처들은 흉터가 되었다.

내가 사랑하던 사람은 지나가는 말들로 알게 모르게 나를 깎아내렸고 나는 나를 사랑하지 않게 되었다. 평생 부족하지 않은, 오히려 넘치는 사랑을 가족에게 받고 살았지만 하필이면 내가 나를 사랑하지 않기 시작한 시점에 지구 반대편의 우리 부모님은 사정이 있어 원래보다 나에게 많은 관심을 쏟아주지 못했다. 그렇게 자기혐오라는 어두운 바다를 발견한 나는 가라앉고 있었으나 나를 건져내 줄 수 있었던, 나를 사랑하는 사람들은 너무 멀리 있었다.

그때부터 나는 일상이 버겁거나 지칠 때면 쉽게 자기혐오와 우울이라는 심연에 빠졌다. 혼자 있을 때면 깊은 물속으로 잠겨 들어갔다. 남들과 나를 비교하면서 스스로를 갉아먹었다. 그리고 나를 미워했다. 때로는 이 세상에서 내가 가장 못난 존재 같았고 내 존재가 낭비 같기도 했다. 나의 모든 면을 싫어하기 시작했다. 자신감은 이상한 고집과 객기의 형태로 망가져갔고 자존감은 사라져 갔다. 나를 사랑하는 사람들의 존재를 잊었다. 내가 나를 미워한다는 것만이 중요해졌다. 그렇게 나는 낮은 명도의 사람이 되었다.

그러나 또 남들에게 들키고 싶지는 않았다. 굳이 내가 나를 미워한다는 사실을 보이기는 싫었다. 괜찮아 보이고 싶었고, 잘 살고 있는 것처럼 봐주기를 바랐다. 괜찮아 보였을 것이다. 나는 여전히 짙은 채도와 높은 명도의 사람으로 인식되고 있었을 것이다. 그렇게 남들이 보는 나와 내가 싫어하는 진짜 나 자신의 격차는 벌어져 가고 있었다. 나는 나를 해치고 싶었으며 나를 학대하고 싶어 했다. 겉으로 드러나서는 안 되었다. 괜찮아 보여야 했으니까. 이를 악물고 자기혐오를 참아내고 있었다. 그러나 나는 속으로 나의 전체를 이루는 일부들을 모두 싫어하고 있었던 것 같다. 그럼에도 불구하고 깊은 곳에서 나는 행복하고 싶었다.

나는 선천적으로 심장에 약간의 기형을 안고 태어났기 때문에 조금이라도 스트레스를 받는 상황에 놓이면 부정맥이 생기고 흉통이 발생하곤 한다. 평생 그게 너무 싫었고 그런 내 몸 상태가 짜증 나기만 했다.

그런데 어느 날 그것까지 사랑한다고 말해 주는 사람이 생겼다. 우리는 몇 달 전만 해도 서로의 존재도 모르던 완전한 남이었지만 짧은 시간이 지난 후 "우리"가 되었고, 그는 내가 싫어했던 나의 일부들조차 사랑한다고 말했다.

그리고 그 사람은 각 한 차례 수술에도 사라지지 않고 피곤하면 툭 하고 생기는 내 오른쪽 눈의 사시와 내 오른쪽 귀의 이명과 통증도 전부 사랑한다고 말해주었다. 그렇게 내가 그토록 싫어했던 나의 일부들에게 사랑받을 가치가 생겼다.

물론 그 사람도 내 모든 모습들을 있는 그대로 사랑해주지는 못했다. 생각의 차이가 언쟁의 형태가 될 때도 있었다. 그러나 내가 싫어하던 내 일부마저도 사랑해 주었고, 내가 싫어하는 나의 일부들이 사랑받을 수 있다는 사실을 일깨워주었다는 점에서 나에게는 큰 의미가 있었다.

내가 고시공부에 지쳐 가장 자주 그리고 가장 많이 아팠을 때 우리는 처음 만났다. 내가 아플 때마다 장난 반 진심 반으로 그 사람은 나를 진찰 대상으로 삼곤 했다. 시간을 내서 나를 병원에 데려다 줬고, 아플 때 옆에 있어 주기도 했다. 나를 걱정하는 그 모습을 사랑했고, 내가 싫어했던 내 아픈 부분들까지 사랑한다던 그 사람을 사랑했다. 그리고 그 사람을 사랑하면서 나는 나를 덜 미워하기 시작했다. 아직 스스로를 사랑하지는 않았으나 더이상 스스로가 죽을만큼 밉지는 않았다. 나를 위한 내 기도가 이루어지고 있었다.

그 사람으로부터 헤어짐을 통보받던 날, 나는 꽤 많이 울었다. 우리는 꽤 많이 울었다. 나는 우리가 연인으로써 나눴던 사랑이 끝난다는 사실이 싫었지만 무엇보다 그 사람을 아예 잃을지도 모른다는 무서움을 느꼈다. 연인이 아니더라도 잃기에 아까운 사람이었다. 나한테는 꽤나 갑작스러운 이별이었기 때문에 당시에는 되도록이면 연인 관계로 남아줬으면, 싶긴 했지만.

그 사람은 이런 내 생각을 읽었는지 헤어짐을 통보하면서 이렇게 말했다.

-- 내가 지금 이 자리를 뜬다고 해서 내가 영영 사라지는 게 아니니까

그리고 나는 이렇게 답했다.

-- 그럼 뭐해, 오빠가 더 이상 나를 사랑하지 않기로 정했는데

그리고 그가 말했다.

-- 그러니까 이제부터는 네가 너를 사랑해줘.

그는 내가 나 자신을 사랑하지 않는다는 것을 너무도 잘 알고 있었다. 나를 삼키던 심연의 존재와 나의 낮은 명도를 아는 사람이었다.

머리를 한 대 맞은 것 같았다. 그가 나를 사랑하지 않기로 정한 것보다 더 중요한 게 있었다. 내가 나를 사랑해 줘야만 하는 거였다. 누군가가 나를 사랑하기 전에 내가 나를

사랑해줘야 했다. 헤어지던 날 그 사람의 그 말은 나에게 충격이었다. 물론 사귀는 도중에도 그는 종종, 내가 나를 사랑하길 바란다고 말하곤 했었다. 자신을 사랑하지 않는 사람을 사랑하는 게 어렵다고 말한 적도 있었다. 내가 인생에 별 미련이 없다고 했을 때, 본인이 내 인생에 미련을 가지고 있다고, 내가 나를 사랑하게 만들 거라고, 그렇게 아무렇지 않게, 너무나도 쉽게 내 스스로를 사랑하지 않고 또 내 인생에 미련이 없다고 말한 걸 사과하라고 했다.

우리는 항상 행복에 대해 고찰했다.

그러나 이제 나와 함께 행복하기로 했던 그가 없었다. 나를 가장 가까이에서 사랑해주던 사람은 없었다. 또 지금까지와는 다르게 온전한 홀로서기가 필요한 순간이기도 했다. 나는 어른이 되어야만 했고, 이제 진짜 내가 나를 사랑해줘야 할 때였다. 그렇게 나 스스로 행복해져야만 했다. 생각보다 큰 용기가 필요했다. 내가 나를 사랑하는 것은 생각보다 어려웠다. 그러나 내가 나를 사랑하기로 마음먹었을 때 나는 생각보다 더 행복했다. 나는 항상 행복에 대해 고찰했다. 아, 그렇구나. 행복은 상황이 아니라 선택이구나.

그러니 너는 담대해지자.

너를 많이 사랑하자. 그렇게 더 행복하자.

늘 행복에 대해 고찰하는 낮은 명도의 사람, 루야.

오다이바,
너는 오래오래 내 기억 속에서 살아가

그저 마냥 행복하기만 한 장소
東京都港区台場１丁目４ お台場海浜公園

겨울에서 봄이 되던 계절의 한밤중이었다. 나는 그때의 나를 가장 잘 알던 사람을 이끌고 오다이바로 향했다. 내가 도쿄에서 살아가며 가장 사랑했던 그 장소에 함께 서 있었다. 그 해변을 함께 걸었다. 내가 사랑하던 그 야경을 눈에 담았다. 그의 눈에도 담았다. 그리고 직감적으로 알았다. 나는 지금 이 순간의 이 바람, 습도, 그리고 이 냄새를 평생 잊지 못하겠구나, 나는 내 눈앞의 이 풍경을 평생 기억하겠구나, 그렇게 나는 오늘의 이 기억으로 평생을 살아내겠구나.

나는 아르바이트로 영어회화 커뮤니티에서 스터디 리더로 일하면서 영어를 가르치고 있다. 여행과 여행지를 주제로 대화를 나누던 중 “safe haven”이라는 단어가 나왔다. 내가 가장 안정감을 느끼고 편안함에 다다르는 장소는 어디일까. 내가 더 이상 불안하지 않고 슬프지 않을 장소는 어디일까. 내 안식처는 어디일까. 문득 오다이바 생각이 났다. 슬프거나 부정적인 기억이 단 하나도 없는 장소, 마냥 행복하고 기쁜 기억만 가득한 장소. 도쿄만의 오다이바 해변이다.

누군가 나에게 세상에서 가장 좋아하는 장소가 어디냐고 묻는다면 나는 망설임 없이 오다이바라고 답할 것이다. 바다는 단 한 번도 나를 실망시키지 않았다. 더운 날도 추운 날도, 맑은 날도 흐린 날도 그만의 매력으로 나를 반겼다. 해가 진 지 오래라 하늘은 이미 어두컴컴했지만 구름은 여전히 수평선을 떠다니고 있었다. 멀리 도쿄 시내의 높게 뻗은 건물들에서 흑백의 빛줄기가 나오고 있었고, 레인보우 브릿지 위로 차들은 여전히 달리고 있었다. 그리고 그 바다 너머 풍경의 한 켠에서 도쿄타워가 빨갛게 빛나고 있었다. 내가 가장 사랑했던 그 바다는 여전히 무심했으나 여전히 세심했다.

학부 시절의 행복한 추억이 가득한 바닷가였다.

새내기 시절, 도쿄에서 산 지 한 달 정도 되었을 때, 기숙사에서 친하게 지내던 선배들과 동기들과 오다이바에서 열린 옥토버페스트에 간 적이 있다. 갓 고등학교를 졸업한 나는 대도시의 모든 것이 새로웠고, 그래서 굉장히 들떠있었던 것 같다. 친구들과 맥주를 마시러 바닷가에 가다니. 내가 상상하던 대학의 낭만이었다. 옥토버페스트는 즐거웠다. 마침 모터쇼도 하고 있었고, 주말이었기 때문에 길거리에서 버스킹도 꽤 많이 하고 있었다. 정말 많이 웃었다. 짝사랑하던 선배가 내 머리를 쓰다듬어 줬을 때 열여덟의 나는 설레어했다.

함께 간 열 명 남짓한 무리가 다 같이 바닷가에서 노을을 봤다. 도쿄로 이사 가기 전까지 뉴질랜드에서 살았던 나는 뉴질랜드에서 참 예쁜 하늘과 바다, 노을과 별이 쏟아지는 밤하늘을 정말 많이 봤었다. 그런데도 오다이바의 노을은 감동적일 만큼 예뻤다. 파랗던 하늘이 오렌지빛으로 물들어갔고, 구름이 빌딩 숲 위를 떠다니다가 레인보우 브릿지 위에 닿았다. 밤하늘에서 별이 쏟아지진 않았으나 바다 건너 도쿄의 야경이 빛나고 있었다. 행복했다.

그렇게 오다이바는 내가 도쿄에서 가장 사랑하는 장소가 되었다.

뉴질랜드나 한국에서 나의 친구 또는 가족이 도쿄로 놀러 왔을 때, 나는 꼭 그들을 오다이바 해변에 데려가곤 했다. 내가 가장 사랑하는 장소를 보여주고 싶었다. 엄마아빠는 자유의 여신상 앞에서 그 포즈를 따라했다. 나는 웃으며 엄마아빠를 카메라 프레임에 담았다. 해가 쨍하고 비치고 있었고, 곧 땀이 나기 시작해서 나는 얼른 카페라도 들어가자며 엄마아빠를 재촉했다.

몇 년 만에 만난 고등학교 때 친구와 오다이바 주변에서 전시를 보기로 했다. 밥을 먹고 한 시간쯤 붕 뜬 시간에 우리는 바닷가에 앉아 아이스크림을 하나씩 물고 근황을 나눴다. 바람이 꽤 많이 불었다. 전시회에 가야 할 시간이 가까워지자 비도 내리기 시작했다.

중학교 때부터 알던 친구가 도쿄에 놀러 왔을 때 우리는 온천에 갔다가, 한밤중의 오다이바 해변을 걸었다. 여름이라 사람이 많았고, 밤인데도 불구하고 매우 덥고 습했다. 기껏 온천욕을 하고 나왔는데 다시 땀이 나기 시작했다. 그래도 우리는 그 더운 밤바다를 한 시간이 넘게 걸었다. 그렇게 오다이바는 그들 여행의 한 페이지가 되었고 나의 행복의 한 페이지가 되었다.

고등학생 때 알던 일본인 친구와 오랜만에 만났다. 친구가 쇼핑몰 안에 있는 식당을 예약해 줘서, 우리는 오다이바의 야경을 바라보며 맛있는 저녁을 먹으면서 술을 마셨다. 친구는 동거 중이던 남자친구와 싸운 이야기를 한 시간이 넘게 했다. 나는 친구에게 동조하면서 본 적도 없는 친구의 남자친구를 같이 욕해줄 뿐이었다. 그 와중에도 바다는 무심하게 아름다웠다. 파도 하나 치지 않는 그 해변은 참 잔잔했다. 술도 깰 겸, 밤바다를 걸었다. 여기저기 데이트 중인 커플들이 참 많았고, 해변공원을 산책하며 우리는 또 참 많은 대화를 했다. 친구는 그럼에도 불구하고 남자친구를 사랑한다고 말했다. 나는 이렇게 별 것도 아닌 일로 몇 시간이고 수다를 떨며 이렇게 예쁜 바다를 볼 수 있는 그 순간을 사랑했다.

막학기, 졸업논문을 끝내고 대학생으로서의 마지막을 만끽하기 위해 머리를 쨍한 핑크색으로 물들였다. 당시의 내가 꽤 열심히 참여하고 있었던 교내 케이팝 댄스동아리에서 트와이스의 〈Dance the Night Away〉을 연습하고 있었다. 바닷가 촬영이 결정되었고, 우리는 오다이바에 모였다. 다행히도 날씨가 참 좋았다. 하늘은 새파랗고, 태양은 빨갛게 빛나고 있었으며, 구름 몇 점이 하늘을 떠다니고 있었다. 몇 차례에 걸쳐 노래를 틀어놓고 춤을 췄다. 노래에 이런 가사가 있다.

"파도 소리를 틀고 춤을 추는 이 순간 / 이 느낌 정말 딱야 / 바다야 우리와 같이 놀아 / 바람아 너도 이쪽으로 와 ... 짭짤한 공기처럼 / 이 순간의 특별한 행복을 놓치지 마"

노래 가사 그대로였다. 바닷가에서 우리 아홉 명은 행복하게 웃으며 춤추고 있었다. 반복되는 촬영에 덥고 지쳤으나 우리는 즐거워했다. 촬영을 마치고 바닷가 데크에 앉아 피자를 먹었다. 마침 한 친구의 생일이어서 풍선과 케이크를 미리 준비했고, 우리는 다 같이 생일축하 노래를 불렀다. 여름, 바닷가, 피크닉. 단어만 봐도 마냥 행복하고 즐겁지 않은가. 나는 마음껏 웃었고 후회 없이 행복했다.

가장 친하게 지내던 학과 동기 중 한 명의 생일이었다. 항상 붙어 다니던 나와 세 명의 친구들은 한밤중에 카쉐어를 통해 차를 빌려 드라이브를 가기로 정한다. 딱히 목적지는 없었다. 그냥 발 닿는 대로 대충 운전하다 보니 시부야를 지나, 롯폰기를 지나, 도쿄타워를 지나, 오다이바 해변공원에 닿았다. 밤 10 시 반, 배고파진 우리는 눈앞에 보이던 맥도날드에 들어가 각자 빅맥 세트 하나씩을 금방 해치웠다. 여기까지 왔는데 바다나 보고 가자, 하고 가위바위보를 한다. 가위바위보에서 진 친구는 귀갓길 운전기사다. 나머지 셋은 편의점에 가서 맥주를 한 캔씩 산다.

12 시쯤 우리는 바다로 향했다. 계획이 전혀 없었기 때문에 갈아입을 옷도, 신발도, 아무것도 없지만 바닷가를 마주한 우리는 참지 못하고 바다로 뛰어들었다. 서로에게 물을 뿌리고 소리 지르며 배가 아프게 웃었다. 바닷물이 더러운 것도 상관없었다. 플래시를 켜 놓은 카메라로 사진을 많이도 찍었다. 못 나온 사진 한 장을 가지고 몇 분을 깔깔거리고 웃었다.

우리는 곧 헤어져야만 했다. 졸업 후 두 친구는 미국으로, 한 명은 영국으로, 그리고 나는 한국으로 갈 예정이었고, 불과 한 달 남짓한 시간밖에 남아있지 않았다. 그래서일까, 우리는 아무 생각 없이 웃고 떠들고 장난치는 데 집중하고 있었다. 젖어버린 티셔츠는 대충 털어 말리고 모래 묻은 운동화도 탁탁 대충 털어버렸다. 새벽 두세 시쯤, 다시 차를 타고 우리가 살던 동네로 돌아오는 길, 갑자기 천둥번개가 치기 시작했다. 세찬 여름비가 내리고 있었다.

그리고 다시 지금. 어두운 밤, 나는 이런 추억들이 가득한 이 장소에 서 있었다. 그 추억을 나와 공유했던 사람들은 여기 없었지만, 또 나는 새로운 사람과 여기서 새로운 추억을 만들고 있었다. 문득 눈물이 났다. 그 사람의 품에 안겨서 몇 분을 소리 내어 울었다. 세상엔 다양한 종류의 눈물이 있다. 슬퍼서 나는 눈물이 있고, 행복해서 나는 눈물이 있으며, 그리움에 사무칠 때 나는 눈물이 있다. 나는 아무 걱정 없이 마냥 행복하기만 했던 내 청춘이 그리워 울었다. 그 추억이 내 눈물에 잠겼다. 나는 정말 행복했구나. 그때 가만히 나를 토닥이던 사람이 말했다. "행복한 기억만 가득한 장소가 있다는 게 얼마나 감사한 일이야. 이제 나랑 같이 왔으니까 행복한 기억 하나 더 생겼겠다."

지난날 누군가를, 어딘가를, 어느 사람들과 어느 장소에 함께했던 어느 시간을, 그 기억들을 추억할 수 있다는 것은 그 자체로 축복이 아닌가. 나는 나의 행복을 추억하고 있었다. 그 추억을 통해 지나온 시간들을 다시 마주하고 울었다. 이뤄지지 않을 그리움은 바람이 되어 나를 스쳐가고 있었다. 행복을 추억하며 나는 행복했다. 내가 이 장소에 서 있었던 그 모든 계절과, 바람과, 풍경이 나를 지금 여기로 이끌었고,

나는 그 모든 날들을 추억하며 행복했다. 행복해서 눈물이 났다.

소매로 슥슥 눈물을 닦아내고, 바다를 마주하고 바로 섰다. 지금 이 순간의 바다와, 이 사람과, 이 바람을 더 차곡차곡 담아두고 싶은 마음에 말없이 앞을 바라봤다. 오다이바는 여전히 예뻤고 나는 여전히 행복했다. 한 때를 추억하는 바로 지금이 내 미래의 가장 그리운 과거가 된다. 그래서 나는 지금도 행복한 거였다. 오다이바는 오래오래 내 기억 속에서 살아갈 것이다. 그리고 나는 그 기억들로 평생을 살아갈 것이다.

여름의 한가운데에서 쓰여진 편지

저 멀리 있는 나의 사랑하는 친구들에게

아주 가끔 일기를 쓸 때가 있다. 2022 년 여름, 내 일기장에는 유독 편지 형식의 글이 많이 쓰여졌다. 최근에 그 일기장을 펴 보니 당시의 모든 것이 되살아났다. 환기되는 기억 속 당시의 온도와 습도, 그 안에 서 있던 나의 감정들이 떠오른다. 되돌아봄의 묘미란 이런 것이다.

2022 년 8 월, 학부 졸업 논문 디펜스를 마치고 졸업예정자 명단이 나왔다. 무사히 졸업하게 된 친구들 대부분은 해외 대학원 진학이 예정되어 있었다. 나는 한국으로 귀국할 예정이었기 때문에 9 월 말에 있을 졸업식에 참석했지만 대부분의 동기들은 8-9 월에 학기가 시작하는 영미권 대학원의 학사일정에 맞춰 졸업식에 참석하지 못하고 8 월 중 일본을 떠났다.

그래서 내 2022 년 여름의 일기장에는 편지가 참 많다. 사랑하는 사람들과 마지막으로 끝장나게 놀면서 아주 행복했고, 그들과 이별하면서 많이 울었기 때문이다. 사실 이때의 일기는 다 영어로 쓰여 있다. 그 커다란 감정들을 꾹꾹 눌러 담아 표현하기에는 한국어보다 영어가 편했다. 가끔 일기를 쓰다가 울기도 했다. 다들 너무 멋져 보였고, 그들이 벌써 그리웠고, 하루하루가 부서질 듯 소중해서 울었다.

미국 대학원으로 진학하게 된 많은 친구들 중 제일 먼저 떠나게 된 친구의 출국 날, 그를 공항에 데려다주었다. 다른 친구가 차를 빌려 우리는 차를 타고 이동했다. 출국장 앞에서 친구가 쌓여 있는 짐들 사이로 고개를 떨궜다. 4 년간 단 한 번도 그 친구가 우는 걸 본 적이 없었는데, 그 친구가 참 많이 울었다. 몇 분을 그렇게 껴안고, 울고, 웃으며 인사를 나눴다. 다음에 만날 기약이 없었다. 지구 반대편에 사는 친구가 하나 더 늘었다. See you in the distant future, Rue, (먼 미래에 보자, 루야) 라고 인사한 친구가 출국장으로 들어섰다. 나와 함께 친구를 배웅한 다른 친구와 나는 돌아오는 길 차창 너머로 도쿄의 반짝이는, 그러나 고요한 야경을 응시했다.

이제 아무 생각 없이 페이스타임을 걸 수가 없었다. 시차가 있을 테니까. 아무 생각 없이 캠퍼스에 가면 누군가가 있겠지, 하고 밥 먹을 친구를 찾아 캠퍼스에 갈 일도 없었다. 다들 졸업했으니까. 아무 생각 없이 전화해서 나오라고 할 수도 없었다. 같은 동네가 아닐 테니까. 같은 대륙조차 아닌데 무슨.

계획 없이 시모키타자와의 이자카야에서 술을 먹고 시부야의 노래방에서 밤을 새우던 일상이 끝났다. 그게 실감 난 순간 나는 한참을 울었다.

고등학교 졸업식 때가 생각났다. 내가 다닌 고등학교는 유학생이 많은 국제학교였고, 로컬 학생들도 거의 해외대학 진학을 목표로 우리 학교를 다녔기 때문에 졸업생들은 말 그대로 전 세계로 흩어진다. 졸업식 기념 디너에서 신나게 춤추고 놀아놓고 막상 헤어질 때가 되자 나와 친구들은 목을 놓아 울었다. 전 세계로 흩어질 친구들을 다시 만날 기약이 없었다. 진짜 이게 살면서 마지막으로 얼굴을 보는 순간일 수도 있는 거였다. 그게 사무치게 아쉽고 슬퍼 울었다.

그러나 고등학교 때도, 대학교 때도 나는 내 모든 친구들이 너무 자랑스러웠다. 다들 하고 싶은 공부가 있었고, 그걸 위해 캐리어 한두 개에 자신의 몇 년치 인생을 눌러 담을 수 있는 사람들이었다. 나도 꼭 멋진 사람이 될게, 하고 다짐하는 말을 보내지 않을 편지의 말미에 작게 써 보았다.

8 월이 지나고 9 월. 나 혼자 도쿄에 남았다. 아니, 거짓말이다. 혼자 있는 걸 너무 싫어하고 새로운 사람을 만나기를 너무 좋아하는 나는 여름 내내 새 친구들을 만들었다. 한국인 유학생회에서 친구들을 사귀었고 댄스 스튜디오와 동아리의 일본인 친구들과 더 친하게 지냈다. 그렇게 내 일상은 계속되었다. 인생에서 가장 바쁜 여름을

보냈다. 그래도 느낌이 달랐다. 4 년 내내 가장 친했고 가장 오래 붙어있던 사람들이 모두 떠나고 남은 자리에서 나는 여전히 즐거운 생활을 향유했으나 그들은 이미 새로운 터전을 찾아 떠난 후였다.

과제를 하고 논문을 쓰는 동안 매일같이 도서관에 가곤 했다. 계획하지 않아도 도서관에 있으면 항상 동기들이 있었다. 그렇게 우리가 자주 앉아 있던 도서관 앞 벤치 위로 비가 추적추적 떨어지고 있었다.

웃겼으면 됐어

누군가를 사랑하던 내가 사랑하게 된 것들

생각해 보면 이제까지 데이트했던 사람들 중에서 연인관계로 발전한 몇 안 되는 사람들은 다 내가 같이 있을 때나 이야기할 때 재밌다고 느끼고 자연스레 많이 웃게 되는 사람이었다. 그리고 꼭 단 한 번이라도 재미없다고 느끼는 순간 흥미가 떨어지고 심할 땐 그냥 귀찮아진다. 한 번 지루하다고 생각해 버리면 관계를 진전시키고자 하는 마음도 아예 없어져버린다. 그렇게 정리해 버린 사람이 꽤 많은 것 같다. 나랑 개그코드가 맞고 유머감각이 있는 게 나한테 그만큼 중요한 기준인 거겠지.

최근에 알게 된 사람 중에 말이 별로 없는 오빠가 있다. 괜히 말 한 번 더 걸고 싶고 친해지고 싶은 오기가 생기게 할 정도로 말수가 적고 목소리도 크지 않은데, 가끔 한마디 툭 던지는 게 타율이 너무 좋다. 그 오빠랑 같이 있을 때면 말은 내가 훨씬 많이 하는데 더 많이 웃는 쪽도 나다. 단 둘이 이야기할 때도 그렇지만 사람들이 많으면 더욱 그 작은 한마디가 빛난다. 술자리에서 가장 조용하다가 가끔 딱 한 마디 던지는데 그게 모두를 빵 터지게 만든다. 진짜 친해지고 싶어서 계속 말 걸게 되고 괜히 말하는 게 더 듣고 싶어서 쓸데없는 질문을 던지게 되는데, 그게 부담스러울까 봐 걱정되면서도 못 참고 있다.

내가 리더를 맡고 있는 영어회화 스터디 팀에도 정말 웃긴 멤버분이 한 분 계신다. 다들 해외 체류 경험이 길고 영어권에서 대학을 나오신 분도, 영어를 전공하신 분도, 아예 국적이 영미권인 분도 계시기 때문에 우리는 매주 공부보다는 대화 그 자체에 집중한다. 매주 누군가의 연애상담을 해 주게 되고 나도 이 스터디에서 자주 연애상담을 하기도 해서 그 알바가 너무 재밌다. 아무튼 그분은 장난 삼아 일부러 콩글리시를 쓰기도 하고 조언을 해 준답시고 유머 가득한 촌철살인 멘트를 날리시기도 한다. 본인의 이야기를 풀 때도 진짜 재치 넘친다. 몇 주 동안 웃을 일이 없었을 때 오랜만에 배꼽 빠지게 웃게 된 것도 이 분 덕분이었다.

사람을 만나는 데에 있어서 웃음이 그만큼 중요한 나라서 주변에 정말 재밌는 친구도 많고 나 스스로도 재밌는 사람이 되고 싶어 한다.

헤르만 헤세는 〈황야의 이리〉라는 소설에서 삶의 가장 힘든 여러 부분들을 써내려 가며 이 모든 것들을 다 해결할 수 있는 유일한 한 가지는 유머라고 했다. 이 말을 보자마자 생각난 사람이 있다. 우리 엄마다.

내가 웃기다고 생각하는 사람이 이렇게 많은데 내가 아는 모든 사람들 중에, 살면서 만난 모든 사람들 중에 가장 웃기고 재미있는 사람은 우리 엄마다. 엄마랑 같이 있을 때면 배가 찢어지도록 웃는 일이 다반사이고 별 거 아닌 것도 말도 안 되게 웃긴 상황이 될 때가 많다. 에피소드를 풀자면 너무 많은데, 우리 집은 엄마 덕분에 매일매일이 시트콤 같다. 웬만한 예능에 나오는 게임이나 미션은 집에서 다 따라 해보고, 드라마나 예능의 명장면은 꼭 재현해봐야 하고, 숏폼이 유행하기 전부터 코믹댄스 같은 걸 가끔 영상으로 찍어놓기도 했고, 보드게임이나 카드게임을 하다가 웃겨서 뒤집어지는 일도 많다. 그냥 진짜 웃기다.

그런 엄마의 말버릇이 하나 있다. "웃겼으면 됐어." 그리고 이제는 내 말버릇이기도 하다. 실수를 하거나 무언가에 실패했을 때 그게 누군가의 웃음거리 - 비웃음거리 말고, 순수하게 누군가를 웃게 하는 무언가를 표현하고 싶었는데 적절한 말이 생각이 안 난다 - 가 된다면 그걸로 만족하는 거다. 아무튼 누군가를 웃겼으면 그걸로 된 거다. 일이 원하는 대로 풀리지 않아도 그걸로 인해 아주 좋은 사이드 이펙트가 하나 생겼으니까. 가끔은 내 실수가 어이가 없어서 스스로

웃길 때도 있다. 그래도 아무튼, 웃겼으면 됐다. 나라도 한 번 웃었으면 그 실수는 그만큼의 가치가 생긴 거다. 원래 뜻하던 바는 아니었어도 웃겼으면 되었다. 힘든 일이 있어도 그게 누군가를 웃게 하는 일이 될 수 있다면 그걸로 된 거다. 모든 것을 해결할 수 있는 건 유머, 웃음이다.

매일 누군가를 웃게 만들고 싶다고 생각한다. 니체는 하루 동안 적어도 한 사람에게 적어도 하나의 기쁨을 선사할 수 있는지에 대해 생각하라고, 그 바람이 실현되도록 만드는 습관을 가지라고 말했다. 나는 스스로 꽤 웃긴 사람이라고 생각하고, 누가 나로 인해서 웃게 되는 걸 되게 뿌듯해하는 사람이다. 매일 아주 사소한 것이라도 누군가를 웃게 만들고 싶다. 그게 나 스스로가 되어도 좋고, 부모님이 되어도 좋고, 오랜만에 전화한 친구여도, 길을 묻는 외국인이어도 좋다. 아주 사소하더라도 누군가를 웃기고 싶다.

웃음은 마음의 장벽과 거부감을 없애는 가장 빠른 방법이다. 웃음이 만병통치약이라는 말도 있다. 웃음은 사람과 사람 사이의 벽을 허무는 가장 강력한 무기다. 누군가를 웃게 만들었으면 된 거다. 좋은 게 좋은 거다. 그러니까, 웃겼으면 됐어.

비슷한 길을 걷는 다른 사람

실제로 별로 친하지는 않지만 나 혼자 내적 친밀감을 갖고 있는 선배님이 한 분 있다. 고등학교 선배이고 대학교 과 선배다. 심지어 그 전에는 같은 동네의 옆 학교를 다녔었다고 한다. 그런데 내가 살던 동네는 강릉이고, 나는 뉴질랜드 오클랜드에서 고등학교를 나왔고, 일본 도쿄에서 대학교를 나왔다. 이게 말이 되나 싶긴 한데 꽤 대단한 우연의 일치로 여기저기서 선배님이신 거다.

초 6 의 나는 당시에는 얼굴도 이름도 모르던 선배가 다니던 중학교와 결국 내가 고른 중학교 사이에서 꽤 고민했었는데, 선배 학교로 갔으면 진짜 세 개국에서 직속 선배님이 됐을 뻔했다. 실제로 아직까지 연락하는 몇 안되는 초등학생 시절 친구들 중 꽤 많은 수는 그 학교로 갔다. 아무튼 나는 강릉의 중학교를 1 년 다니고 국제학교로 진학했다. 근데 그 선배도 강릉에 있는 중학교를 잠깐 다니다 국제학교를 갔다고 했다. 그 후에 선택한 게 뉴질랜드 유학, 고등학교를 졸업하고 대학은 일본으로 진학. 그냥 이 오빠는 내 인생을 2 년 정도 미리 살고 계신 게 아닐까, 하고 생각한 적도 많다.

내가 다닌 고등학교는 11 학년부터 13 학년의 세 학년만 있는 국제학교였다. 11 학년의 첫 학기에 갓 입학한 신입생들을 위해 위해 13 학년 학생대표들을 멘토로 붙여주는 프로그램이 있었다. 선배는 기억 못하시겠지만 내 멘토는 그 선배였고 그때부터 선배가 꽤나 멋있다고 생각해서 롤모델 비슷한 존재로 삼았던 것 같다. 12 학년부터 13 학년까지는 IB 디플로마라는 커리큘럼을 들었는데, 그 과목 선택 관련해서 고민이 많을 때 그 선배의 조언이 내 선택에 꽤 큰 영향을 끼쳤다. 영어를 제 2 언어로 하는 수업을 듣는 대신 영문학 수업을 들었고, 고민하던 역사 수업을 선택했다.

13 학년 말, 가장 목표로 두고 있던 대학에 떨어지고 어느 대학을 갈지 고민하고 있었다. 미국, 영국, 캐나다, 홍콩, 일본, 심지어는 카타르의 대학들에 합격해 놓고 전공과 살게 될 도시, 학비 등을 보고 고민의 고민을 거듭하고 있을 무렵 교장선생님에게서 연락이 왔다. 당시에는 주로 영국이냐 홍콩이냐를 두고 고민 중이었는데, 교장선생님의 한 시간 정도 이어진 설득 끝에 나는 도쿄대로 진학을 결정했다. 사실 도쿄대는 지원했던 것도 고등학교에서 받고 있었던 장학금 관련이었기 때문에 내가 일본에서 학교를 다니게 될 거라고는 생각도 해 본 적 없는데, 진짜 얼렁뚱땅 도쿄행을 결정하게 되었다. 딱히 공부하고 싶던 것도 없었기에 그냥 대도시 생활

재밌겠다, 정도의 생각이었다. 교장선생님이 학교 선배 중 한 분이 도쿄 생활을 즐거워한다고 꽤 오래 설명해 주신 부분에서 넘어갔던 거 같기도 하고.

그런데 그 선배가 강릉에서 살았다던 그 13 학년 학생대표 선배였던 거다. 대학을 결정하고 온라인 Q&A 세션에서 선배를 봤다. 내가 11 학년 때 롤모델로 삼았던 선배 모습 그대로 화면에 나타나서 대학생활에 대한 이야기를 해 주셨다. 그리고 대학에 진학한 뒤 기숙사에서 몇 번 마주쳤고 몇 번 짧은 대화를 했다.

선배는 코로나가 한창일 무렵 대학을 졸업하시고 한국으로 귀국하셨고 나는 코로나가 끝날 무렵 졸업하고 한국으로 귀국했다. 우리 학교는 졸업 직후에 한국으로 귀국하는 사람이 손에 꼽을 정도로 적은데 – 내가 아는 도쿄대의 한국인 유학생 중 군대가 아닌 이유로 졸업 직후 귀국을 선택한 사람은 나 포함 세네 명 뿐이다 – 또 2 년 차이로 선배의 발자취를 따라온 느낌이었다. 그리고 꽤 오랜 시간이 지난 2024 년의 어느 일요일 밤, 일본에서 친구가 놀러 온 걸 핑계로 선배와 나를 포함한 도쿄대 유학생들 몇 명이 모였다. 몇 년 만에 선배를 만났다.

나와는 정말 다른 사람이었다. 우리는 꽤나 비슷한 환경에서 평생을 살아왔지만 선배와 나는 정말 다른 사람이었다. 나는 이제까지 내 부족한 점이나 인생의 불만들을 나름 특이하다고 생각했던 내 환경의 탓으로 돌리곤 했는데 그게 무색했다. 같은 환경에서 살아온 선배는 여전히 멋있었고, 자세히는 모르겠지만 내가 환경 탓을 하며 불만을 가지던 부분들을 선배에게서는 찾아보기 힘들었다. 그리고 나는 전혀 다른 사람이었다. 선배와 나는 관심사도, 진로도, 일하는 분야도 꽤 많이 달랐다. 나는 선배의 영향을 받아 과목을 선택했고 선배의 영향을 받아 일본으로 가게 되었지만 그럼에도 불구하고 선배와 나는 참 많이 달랐다.

어떤 환경에, 어떤 상황에 놓여도 결국 내가 누구인지, 내가 어떤 사람인지 결정하는 건 나였다. 내가 이 상황을 어떻게 받아들이고 이 환경과 어떻게 상호작용하는지에 따라서 나는 "나"라는 사람이 되었다. 그리고 선배는 선배가 되었다. 선배와 나는 정말 비슷한 길을 걸어왔지만 우리는 그 길 위에서 다른 생각을 했고, 다른 모습으로 걸었다. 그렇게 우리는 다른 사람이 되었다.

선배는 지금 일하는 NGO 에서의 일을 슬슬 관두고 대학원에 진학하려고 한다고 했다. 아마 유럽으로, 그중에서도 벨기에로 갈 것 같다고 했다.

"아, 오빠, 저도 2-3 년 있다가 벨기에 대학원 가는 걸로 알고 있으면 돼요?" 하고 웃었다.

그럴 리 없다고 생각하고 농담으로 던진 말이었지만 10 초도 안 되어서 나는 또 혼자 정색하고 진짜 그렇게 될지도 모르겠다고 생각했다. 나는 영문학을 들을 계획도, 역사를 심화과목으로 들을 계획도, 일본 대학에 갈 계획도 없었으니까.

만약 내가 또 그와 비슷한 길을 가게 되더라도 어차피 나는 그와 다른 사람일 거다. 나에게 알게 모르게 큰 영향을 끼친 사람이지만 어차피 나는 그와 다른 사람이 되었다. 앞으로도 마찬가지다. 지금의 나는 별 계획도 없고 내 앞에 어떤 미래가, 어떤 길이 펼쳐질지 상상할 수도 없지만 나는 결국 그 길 위에서 내 멋대로, 내 마음대로, 그렇게 나라는 사람으로 성장해 나가겠지.

조각의 공유

내 시간의 조각은 짧기에 더 소중하고 아름답다

시간은 유한하나 연속적이고 멈출 수 없다. 나는 끊임없이 흘러가는 이 시간 속에서 살아간다. 나는 나의 사랑하는 사람들과 같은 시간을 살지만 그들과 나는 극히 작은 시간만을 공유한다. 나는 사람들과 함께 살아가지만 우리가 공유하는 것은 서로의 모든 삶이 아닌 그 삶의 일부, 그것도 극히 작은 조각일 뿐이다.

중학교 때부터 기숙사에 살기 시작하면서 혼자 생활하기 시작했고, 그래서 열 세살 이후 본가에 자리를 잡고 산 적이 없다. 그렇게 자연스레 부모님과 공유할 내 시간이 극히 한정되고 말았다. 학교를 졸업하고 인생의 다음 챕터를 시작함과 동시에 주변인이 변화하는 건 어쩔 수 없다. 내 생활 반경이 변하는 거니까. 더구나 나는 어쩌다 보니 학교를 졸업할 때마다 나라를 옮긴 꼴이 되었기 때문에 더더욱 졸업식을 마치면 내 주변인은 완전히 리셋되고 말았다. 그렇게 내가 사랑하는 사람들은 나의 극히 작은 시간 조각만을 가장 가까이에서 보게 된다. 나 역시 마찬가지다. 내가 공유받는 그들의 조각은 짧고 유한한 시간이다.

그러나 이 조각이 끝나면 다음 조각이 시작된다. 무언가의 끝은 새로운 무언가의 시작이다. 봄이 찾아오고 벚꽃이 피었다. 사람들이 벚꽃에 열광한다. 석촌호수에는 수많은 사람들이 몰리고 일주일 남짓한 벚꽃의 만개를 보러 전국에서 사람들이 움직인다. 고작 일주일 남짓이다. 짧기 때문에 우리는 벚꽃이 더 아름답다고 느끼고 짧기 때문에 우리는 그 봄이 더 소중하다고 느낀다. 짧은 봄의 조각을 잡기 위해 우리는 사진을 찍고 밤낮 할것 없이 벚꽃을 본다. 우리가 타인과 공유하는 극히 작은 시간의 조각들도 이와 같다. 짧고 유한하기에 더 소중하다. 다른 사람들에게 나는 각각 다른 시간의 조각을 나눠주고 그들 역시 나에게 유일무이한 시간의 조각을 나눠주기에 우리가 공유하는 시간의 조각은 매우 작으나 매우 특별하다.

짧은 봄이 끝난다. 꽃이 지고 옅은 녹음이 피어오른다. 봄은 끝나지만 시간은 멈추지 않고 초록의 잎들이 고개를 내민다. 여름의 시작이고 새로운 조각의 시작이다.

내가 봄에 차마 이해하지 못했던 사람을 여름이 되고서야 이해할 때가 있다. 가을이 되고서야 내가 이해하지 못했던 사람의 입장에 서게 될 때도 있다. 심지어는 내가 이해하지 못했던 그 어느 사람이 내 자신인 경우도 있다. 과거에 공유받은 시간의 조각을 먼지 속에서 건져내 다시 쳐다보면 그 시간의 조각이 다르게 보이곤 한다. 삶이란 그런 것이 아닐까. 이해하지 못한 상대를 이해해 나가는 것. 내가 그 입장이 될 수 있음을 인정하는 것. 그 모든 계절이 나를 내가 되게끔 한다는 것을 알아나가는 것.

그리고 때때로는, 이해하지 못했던 과거의 나를 이해해주는 것.

“한겨울에야 나는 내 안에 여름이 계속 도사리고 있음을 깨달았다.” - 알베르 카뮈

그 모든 과정은 내 작은 시간 조각들의 모음이고 그 조각들을 공유하는 사람들의 기억이다. 그 조각이 쌓여 내가 되고 기억이 쌓여 삶이 된다.

아주 평범한 짝사랑

대학 새내기 시절 짝사랑하던 선배가 있었다. 같은 과 선배를 짝사랑하는 열여덟의 새내기, 꽤나 진부한 클리셰다.

원래도 유리몸으로 친구들 사이에서 꽤 유명한 나는 특히 새로운 도시에서 적응하는 첫 달에 자주, 많이 아프다. 캐나다에 갔을 때도, 뉴질랜드에 갔을 때도, 일본에 갔을 때도, 그리고 한국에 왔을 때도 그랬다. 일본에 처음 갔을 때, 나는 일본어를 아예 구사하지 못하는 상태였다. 히라가나도 읽을 줄 몰랐다. 도쿄에 도착한 지 얼마 안 되었을 때, 입맛이 없었고 모든 게 낯설었다. 한여름의 날씨였음에도 심한 감기에 걸려버렸다. 그때 기숙사에서 항상 몰려다니던 무리가 있었는데, 그 친구들은 대부분 동기들이었는데 한두 학년 선배들도 있었다. 나는 중학교 3 학년을 다니지 않았기 때문에 한국 나이로 고 3 때 대학에 갔고, 내가 다닌 대학은 8 할 이상이 남학생인, 성비불균형이 매우 심한 학교였다. 그러다 보니 함께 몰려다니던 친구들 사이에서 나는 막내였고 홍일점이었다.

그 중 특히 친하게 지냈던 한 홍콩인 선배가 몇 번 괜찮냐고 묻는 스냅챗을 보내고는 증상을 물어왔다. 그러고는 기숙사 방 문 앞에 약을 걸어두고 갔다. 우리는 매일 밤 그 선배의 방에 모여 영화를 보곤 했는데, 그날 선배는 오늘은 재미없고 유치한 영화 볼 테니까 꼭 침대에서 잘 쉬라는 문자를 남겼다. 다음 날, 선배는 전혀 나아지지 않은 나를 찾아왔다. 선배의 손에 이끌려 학교 병원으로 향했다. 병원에서 선배는 내 통역을 도맡아 주었다. 접수, 수납, 진료, 모든 게 일본어였기 때문에 내가 알아들을 수 있는 게 없었다. 모든 게 낯설고 힘들었던 나는 선배에게 의지할 수밖에 없었다. 그때부터 그를 좋아했던 것 같다. 선배는 약국에서 받은 약봉지에 써 있는 모든 설명을 영어로 다시 써 주었고, 기숙사로 돌아오자마자 내 방으로 향하려던 나를 붙잡고 남자 기숙사의 다이닝 홀에 앉혀놓았다. 마침 친구들이 밥을 먹고 있었다. 선배는 금방 옥수수와 계란, 닭이 들어간 죽을 끓여 내왔다. 몇 주 만에 처음 한 그릇을 싹 비웠다. 내가 야채를 싫어하는 걸 알고 있던 선배는 장난스레 내일도 안 나으면 샐러드만 해 줄 거라며 웃었다. 아 진짜, 이러는데 어떻게 안 좋아해.

그때부터 내 시야에는 선배가 가득 찼다. 내 눈은 항상 그 사람을 향했다. 자꾸만 그 사람을 담았다. 그러면 그럴수록 그 사람을 그만둘 수가 없었다. 누군가를 좋아하면 그 사람만 보게 된다. 내가 좋다던 사람도 있었고, 만나자는 사람도, 은근히 티를 내던 사람도 있었지만 다 필요 없었다. 내 일상은 그 선배 하나였다. 왜 나는 항상 내가 좋아하는 사람만 보게 되는 걸까. 아직도 그렇다.

나는 고등학교 때 첫사랑의 영향으로 약간은 특이한 이상형이 하나 있다. 악기연주에 능한 사람에게 되게 쉽게 빠진다. 11 학년 캠프에서 쏟아지는 은하수 아래, 기타로 즉흥곡을 연주하던 친구를 정말 많이 좋아했던 나는 지금도 누군가가 악기연주에 능숙하면 금방 반해버린다. 어느 날 선배가 버스킹을 한다며 친한 무리를 초대했다. 선배는 통기타를 매고 루프스테이션을 밟아가며 노래를 불렀다. 하필이면 또 내가 제일 좋아하는 에드 시런이었다. 아직도 〈Tenerife Sea〉를 들으면 그날 그 선배가 라이브로 불렀던 버전이 생각나곤 한다. 그렇게 나의 짝사랑이 본격적으로 시작되어 버리고 말았다.

같은 수업을 듣고 싶어서 괜히 관심도 없던 프랑스어 수업을 수강신청했다. 끝나고 학식을 사 달라고 졸랐고, 공강이 겹쳐 같이 캠퍼스 내의 카페에서 시간을 때우기도 했다. 그렇게 시작한 프랑스어를 나는 배웠다가, 그만두었다가, 다시 시작했다가, 하면서 이제는 어느 정도 알아들을 수 있게 되었다.

선배는 시계를 좋아했다. 마침 한국에서 가져온 내 손목시계의 배터리가 다 되었는지, 작동을 멈췄다. 선배, 나 시계 고치러 가야 돼. 어디로 가야 될지도 모르고 일본어도 못해, 같이 가 줘. 그렇게 같이 시부야에 가기로 했다. 얼마나 걸리냐고 묻는 메시지에 10 초라고 답하자 선배는 냅다 10, 9, 8, 7, ... 하고 텍스트로 카운트다운을 시작했다. 시계를 고치러 나온 걸 핑계로 같이 밥을 먹었다. 밥을 먹은 것뿐인데 기분이 좋았다.

선배가 있는 술자리에는 꼭 가려고 했다. 열 명 가까이 되는 과 사람들이 매일 선배의 방에 모여서 영화를 보고 술을 마셨다. 어느 정도 취한 날은 다 같이 밖을 산책하고 뛰고, 자전거를 타기도 했다. 서로의 등에 업혀 편의점까지 레이스를 펼친 적도 있다. 나는 선배의 등에 업혀서 깔깔거리고 웃었다. 한창 일본어 공부에 열을 올리던 나는 술을 먹으면 근거 없는 자신감이 생겼고, 그럴 때마다 일본어를 연습하려고 하곤 했다. 서투른 일본어로 문장을 이어가면 선배는 초등학생이 말하는 거 같다고 웃으며 내 머리를 쓰다듬거나 어깨를 토닥였다. 그럴 때마다 나는 심장이 터지는 줄 알았다. 한 번은 다 같이 클럽에 갔다. 날씨는 어느덧 꽤 추워졌는데 나는 티셔츠 하나만 걸친 채였다. 선배가 본인 겉옷을 벗어서 나에게 입혀주고는 지퍼까지 올려준다. 그냥 내일 돌려달라고 한다. 이건 너무 유죄인간 아닌가, 하고 혼자 생각했다.

크리스마스 포트럭 파티를 하기로 했다. 시부야에서 만나 돈키호테로 갔다. 재료들을 이것저것 사야 하는데, 나는 아직 미성년자라 와인도 못 사고 요리도 전혀 할 줄 몰라서 선배가 도와주기로 했다. 결국 그날 요리는 선배가 다 했다.

그런데 선배는 좋아하는 사람이 있었다. 사실 우리 모두는 그걸 알고 있었다. 선배는 가끔 나한테 진짜 동생 같다는 소리를 했고, 진심으로 그렇게 생각하고 있었다. 선배는 같은 홍콩에서 온 교환학생 언니와 꽤 친하게 지내고 있었고, 가끔 우리에게 그 언니 이야기를 하곤 했다. 그러나 선배는 일본에서 살고 있었고, 언니는 한 학기의 교환학생이 끝나면 돌아갈 사람이었다.

스위스 여행을 다녀온 선배가 나를 불렀다. 살면서 본 것 중에 가장 큰 토블론 초콜릿을 내민다. 기념품은 왜 챙겨주는데. 주말 아침, 친구들이랑 아침 운동을 다녀오는 길에 문자가 왔다. 우리 맥도날드 사 갈 건데 네 것도 사다 줄까? 30 분 뒤, 내 방 문 앞에는 맥모닝 세트가 걸려 있다. 아침밥은 왜 챙겨주는데.

내 눈동자는 그로 가득했지만 그의 눈동자에는 한 번도 내가 들어가지 않았다. 가끔 선배가 말했던 대로 나는 그냥 동생일 뿐이었다. 툭하면 여기저기 아프고 혼자서는 아무것도 할 줄 모르는 여동생. 사실 친하게 지내던 친구들 모두에게 나는 어느 정도 그런 존재였고 그래서 다른 친구들도 나를 정말 잘 챙겨줬다. 선배랑 똑같이 약을 챙겨주기도 했고 밥을 사 와서 문에 걸어두기도 했다. 춥다고 하면 선뜻 후드티를 벗어주기도 했고, 취했을 때는 20 미터밖에 안 되는 거리도 꼭 데려다 주었다. 여행에 다녀오면 기념품을 주기도 했고, 배고플 때 찾아가면 이것저것 요리를 해주기도 했다. 길치인 나를 이끌고 이곳저곳 돌아다니는 건 다반사였다. 나는 그냥 열 명 남짓한 오빠들 모두에게 사랑받는 막내 여동생 정도의 포지션이었지도 모른다. 그러니까 사실 똑같은 것들도 그 사람이 하는 행동만 더 크게 받아들이고 있을 뿐이었다.

사실 모든 짝사랑이 그렇다. 같은 행동도, 같은 말도, 그 사람이면 모든 게 더 큰 의미가 되어 버린다. 아주 평범한 짝사랑이었다.

선배는 졸업하고 홍콩으로 돌아갔다. 그때 그 교환학생 언니와 몇 년을 예쁘게 만났다. 이 모든 일이 있고 몇 년이 지났을 때, 나는 다른 친구를 만나러 홍콩에 갔다. 시간이 맞아 마지막 날, 공항으로 향하기 전 저녁에 아주 오랜만에 선배를 만났다. 여자친구분이랑 잘 지내냐, 일은 어떠냐, 물었다. 선배는 잘 지내고 있었다. 학교는 어떠냐, 애들은 다 잘 있냐, 선배가 물었다. 나도 잘 지내고 있었다. 내 주문을 광동어로 통역하고 있는 선배를 보고 앉아 있자니 새내기 때 항상 이것저것 일본어로 통역해 주던 선배가 겹쳐 보였다. 웃음이 나왔다. 이 사람이 뭐가 그렇게 멋있다고 그렇게까지 좋아했을까, 싶었다. 그냥 그때 아주 평범한 짝사랑을 하던 열여덟의 내가 문득 너무 귀여웠다. 나를 보지도 않는 사람을 혼자 쳐다보면서 많이 웃었고 많이 울었던 몇 년 전의 내가 귀여웠다. 그런 평범하고 진부한 경험을 알 게 해준 선배한테 고마웠다.

취직도 했는데 밥은 선배가 사 줘, 난 아직 학생이란 말이야, 하고 말했다. 우리는 선배가 아는 길거리 음식을 먹었다. 치사하게 이런 걸로 취업 턱 내는 게 어딨어, 라고는 했지만 역시 로컬 맛집은 달랐다. 진짜 맛있게 먹었다. 우리는 식당을 나서서 버블티를 한 잔씩 들고 홍콩의 길거리를 걸었다. 날이 무더웠다.

겨울 바다, 여름 비

누군가를 사랑하던 내가 사랑하게 된 것들

바다를 제일 좋아한다. 그중에서도 겨울 바다를 제일 좋아한다. 바다를 보면 내가 자라온 강릉이, 제주도가, 오클랜드가 생각나서 좋고, 아무도 없는 겨울 바다에 높은 파도가 일렁이는 소리도 좋고, 바위에 부딪히고 부서져서 아스라지는 하얀 파도의 파편도 좋다. 파도가 부서지는 모양새는 정말 몇 시간이고 보고 서 있을 수 있을 만큼 좋아한다.

비 내리는 날도 좋아한다. 추적추적 내리는 비는 원래 정말 싫어했는데 어느 순간부터 여름 냄새를 가져오고 창문을 두드리는 빗소리를 반기게 된다. 가만히 빗소리를 듣고 있자면 마음이 편안해지곤 한다.

아직 십 대였던 어느 겨울날 - 남반구였으므로 아마 오뉴월 즈음이었을 것이다 - 바닷가에 놓여 있던 벤치에서 나는 당시 남자친구의 무릎을 베고 누워 있었다. 바람에 흩날리던 내 긴 머리카락이 얼굴을 간지럽혔고, 눈을 감아도 나를 뚫어져라 쳐다보는 그의 눈길이 느껴져 쑥스러우면서도 행복했던 것 같다. 칼칼한 바람을 뚫고 느껴진 그의 따스한 시선에 나는 알 듯, 말 듯 조용한 웃음을 지었고, 우리의 침묵은 서로에게만 들리는 노랫소리와 같았다. 숨소리는 새근새근, 조용히 흘러나오고 있었고 살짝 감은 눈 위로는 그의 눈빛이 햇살처럼 쏟아졌다.

겨울임에도 불구하고 바닷바람은 속삭이듯 부드러워 내 귀를 간지럽혔고, 낮은 그의 웃음소리는 내 코끝을 스치던 파도 내음과 내 손끝을 스치던 바람과 더불어 나를 간지럽게 만들었다. 코 끝을 스치는 살랑이는 파도소리, 손 끝을 스치는 일렁이는 바다내음. 그리고 그 사람. 눈을 감아도 보이던 살짝 올라간 그의 입꼬리와 역시 웃고 있던 그의 눈. 모든 게 그저 완벽했던, 그냥 티 없이 미소 지을 수 있었던 그 순간.

나도 부스스 웃으며 천천히 감았던 눈을 떴다. 파아랗고 넓은 하늘과 솜사탕 같은 구름들이 한순간 내 눈 가득 담겨왔다. 함께 나갈 때마다 비가 오고 날씨가 좋지 않아 불만이 많았던 나였지만 - 그는 원래도 비 내리는 날을 좋아했다 - 그날만큼은 몇 년이 지난 지금도 선명히 기억날 만큼 하늘이 참 예뻤다. 시야의 한켠에는 그 사람의 머리카락이 마치 갈대밭같이 바람에 살랑이고 있었고 그 아래로 예쁜 두 눈이 살짝 보였다. 그의 두 눈은 나를 향해 있었고, 나는 그의 무릎을 베고 그 시선을 받고 있는 사람이 나라서 정말 다행이라는 생각을 했던 것 같다. 말랑말랑한 기분이라고 해야 할까, 부슬부슬한 기분이라고 해야 할까. 첫사랑이었고, 첫 연애였고, 그 사람은 내 인생 첫 남자친구였기에, 나는 모든 게 서툴렀기에, 그 감정을 표현할 예쁜 말을 찾는 데에도 참 오랜 시간이 걸렸다. 응, 몽실몽실한 기분. 마치 솜사탕을 한가득 입에 물고 있는 듯한 그런 기분.

그렇다고 항상 행복하기만 한 것은 결코 아니었다. 당시에는 키도 크고 나이도 나보다 많았던 그가 마냥 어른 같아 보일 때도 있었지만 지금 돌이켜 보면 나도, 그도 그냥 어린아이일 뿐이었다. 우리는 어렸고, 어렸기 때문에 참 유치하게도 많이 싸웠으며, 그 싸움에 점차 중독되어 갔다. 별것도 아닌 이유로 우리는 울고불고 소리를 질렀고 서로를 밀쳤으며 상처를 남겼다. 그리고 그 상처들은 흉터가 되었다. 같이 웃던 우리는 고장난 톱니바퀴마냥 삐걱대기 시작했고 한 번 어긋난 톱날은 다시 맞춰지지 않았다. 추운 날씨에도 마냥 따뜻하게만 느껴졌던 나의 겨울 바다는 얼음장같이 차가워졌고 그렇게 예쁘기만 했던 파도의 파편들은 날카롭게 나를 할퀴기 시작했다. 몽실몽실한 예쁜 기분을 나에게 선물해 준 그 사람은 나를 참 많이도 아프게 했고 나를 행복하게 했던 기억들은 나를 참 잔인하게도 망가뜨렸다.

나는 꽤 오랜 시간 괴로워했다. 같은 고등학교, 같은 반, 같은 기숙사, 같은 동아리였던 남자친구였기에 헤어지고 나서도 몇 달이고 힘들어했고, 한동안은 많이 예뻤던 기억조차 참 많이 미워했었다.

도쿄의 장마는 참 길고 습하다. 대학에 진학하고도 한참이 지난 어느 날, 내 방의 창문을 누가 똑똑 두드리길래 커튼을 열고 밖을 쳐다보았다. 동그란 물방울들이 내 방 창문을 노크하고 있었다. 비가 주룩주룩 내리고 있었다. 하늘에는 가득 먹구름이 끼어 있었고, 아주 오랜만에, 아주 갑자기 그 사람 생각이 났다. 그런데 전혀 밉지도, 화나지도 않았다. 괴로워했고 아파했던 과거의 내가 안쓰러웠고 불쌍했으나 그 사람이 미운 것도, 우리의 시간이 미운 것도 아니었다.

그 사람은 비가 참 좋다고 했었다. 비가 가지고 오는 그 특유의 냄새가, 빗물이 땅에 닿을 때 나는 그 소리가 참 좋다고 했었다. 코끝을 찌르고 귀 끝을 자극하던 그 냄새와 소리가, 우리가 서 있는 이 땅의 반대편에서부터 내려오는 비가 모든 걸 씻겨 내는 듯하다며 그 사람은 웃어 보이곤 했었다.

나는 비를 참 좋아했던 그를 이해하지 못했다. 나에게 비는 그저 장애물, 그 이상도 이하도 아니었기에 비가 좋다던 그에게 공감하지 못했다. 나에게 비는 그 사람과 함께하는 걸 막던 장애물이었고, 그래서 나는 모처럼 놀러 가려던 주말에 비가 내리면 짜증을 내곤 했다. 추적추적 내리는 비는 땅에 웅덩이를 남겼고, 비 오는 날 걷다 보면 젖어들어가던 신발과 양말은 내 기분을 상하게 만들었다. 우산을 쓰더라도 습한 느낌을 지울 수 없었고, 예쁜 옷을 입고 예쁜 신발을 신어도 소용없게 만드는 날씨였다. 그가 좋아하던 비의 냄새는 그냥 불쾌하게 내 코를 적시는 습한 기운이었고, 그가 좋아하던 빗소리는 내가 무엇을 하던 집중력을 와해시키고 신경 쓰이게 하는 짜증 나는 존재였다.

그런데 몇 년이 지난 그 여름의 도쿄에서 내 기숙사 창문을 두드리던 빗물 소리는 전혀 시끄럽지 않았고 창문을 뚫고 들어온 옅은 비 냄새는 그저 여름이 왔음을 알릴 뿐이었다. 나는 조용히 손을 뻗어 창문을 열었다. 내 손바닥에 떨어지는 비는 그동안 나를 괴롭혀 왔던 아팠던 기억들과 힘들었던 시간들을 씻겨주었다. 저 하늘에서 내려온 비는 그렇게 세차게 내려 내 손을 적셨다. 그리고 나는 마치 몇 년 전 그 사람이 그랬던 것처럼 웃었다.

나는 그 사람을 사랑하면서 겨울 바다를 사랑하게 되었다. 그리고 그 사람과 헤어지고 몇 년이 지난 어느 여름날 나는 비를 사랑하게 되었다. 그 사람이 나에게 남긴 상처는 그 사람이 떠난 어느 여름 지구 반대편에서 그 사람이 그토록 사랑하던 빗줄기가 문득 씻겨내 주었다. 그와 함께하던 겨울 바다에서 나는 추운 와중에도 많이 웃을 수 있었다. 그 사람의 예쁜 손은 바람에 자꾸 엉키고 내 얼굴을 자꾸 뒤덮는 내 머리카락을 계속 쓰다듬어 주곤 했었다. 아픈 기억도 많았지만 우리는 꽤 오랜 시간을 함께했다. 나는 그 손길과 그 웃음, 그리고 그 시선을 느끼면서 행복했던 기억을 찾았다. 그리고 아주 예뻤던 하늘 아래 보이는 그 두 눈을 마주 볼 수 있어서 나는 너를 좋아했다.

닿지 못할 말

벚꽃이 눈꽃이 되고

나는 너를 위로하는 사람이 되고 싶었다. 가장 가까이에서 네가 기댈 곳이 되어주고 싶었다. 의지가 되고 싶었다. 너는 나를 위로하는 사람이었고 내 기댈 곳이었으며 내가 의지할 사람이었다.

우연히 마주친 네 글에서 너의 불안이 드러났다. 금방이라도 무너질 듯 아슬아슬한 문장에서 네 연약한 몸뚱어리가 아른거렸다. 너는 많이 불안해 보였다. 사람에 지치고 환경에 지치고 한계에 부딪혀 쓰러진 너는 한 명의 외로운 항해자였다.

손을 들어 네가 더이상 부서지지 않게, 무너지지 않게 잡아주고 싶었다. 그러나 너는 아지랑이였다. 더이상 나에게 너는 실체가 아닌 상념에 불과했다.

그래서 문득 들었던 손을 떨궜다. 아무리 뻗어봤자 이제는 닿을 수 없는 거리에 있다는 걸 알았다. 그걸 다시금 깨닫자 다시 조금 아팠다. 그러나 더이상 내가 할 수 있는 건 없었다. 다만 나는 눈을 감고 너를 생각했다. 나의 이 조용한 위로가 저 멀리 있는 너에게 닿기를 바랐다.

안 들릴 걸 알면서도 나는 눈을 감고 너를 위한 말들을 중얼거렸다. 가까운 기댈 곳이, 의지가, 위로가 되지는 못 한 주제에 나는 여전히 실체가 없는 너조차 걱정하고 있었다.

닿지 않을 말들만 중얼거린다. 다만 네가 그만 아파하기를 바라면서. 조금이라도 행복하기를 바라면서.

세상이 널 버려도, 널 탓해도, 그래서 무너질 것 같아도, 무너지고 있어도, 너를 사랑했던 나를 기억해 줬으면 했다. 우리가 서로에게 실체가 아닌 기억이, 상념이 된 지금까지도 나는 너를 탓하지 못하고 버리지 못했다. 그때부터 지금까지 계속해서 네 행복을 위해 마음 쓰는 내가 있다. 네 행복을 위해 나는 너를 사랑했고 이제는 단지 너를 걱정한다.

무엇보다도 그냥 네가 푹 잤으면 좋겠다. 그러나 나는 쉬이 잠을 이루지 못했다.

우리가 무슨 세기의 사랑을 한 것도 아니지만

나를 변화시킨 짧은 연애의 기록.
헤어진다는 것과 변화한다는 것.

짧은 연애가 끝났다. 짧았지만 짧지 않았고 첫사랑도 첫 연애도 아니었지만 많은 것이 처음이었고 모든 것이 새로웠던 사람이었고 시간이었다. 나는 여전히 어렸고 모든 연애가 그렇겠지만 그 사람과 만나고 헤어지면서 많은 걸 배웠다. 누군가의 연인으로써의 내 자아가 꽤 많이 성장하는 계기가 되었다고 생각한다. 그렇게 나는 조금 더 성숙한 연애를 할 수 있는 사람이 되었다.

그러나 더이상 그 사람은 없었다.

사실 그래서 내가 연애경험이 조금 더 있을 때, 이런 시행착오를 다 겪은 다음에 내가 조금 더 온전한 존재일 때 그 사람을 만났으면 좋았을 거라고 생각한다.

나는 지금까지 다양한 문화권에서 살아오면서 많은 친구들을 사귀어 왔지만 말도 안 되는 장난들을 치며 깔깔거리고 웃을 때도, 인생관에 대해 진지한 얘기를 몇 시간이고 나누며 눈물 흘릴 때도, 꾸준히 나와 주파수가 맞는 사람은 찾기 힘들었기 때문에 그 사람이 더 이상 없다는 게 아쉬웠다. 같이 술을 마시고 둘만 있는 공간에서 추지도 못하는 춤을 막 추던 그의 모습과, 스키장에서 스키 폴을 꺼내 들고 사무라이의 검이라며 장난치던 모습, 운전하면서 목이 터져라 본인이 좋아하는 노래들을 열창하던 그 모습들을 나는 특히 더 사랑했다. 때문에 가장 가까이에서 그 모습들을 더는 못 본다는 사실이 아쉬웠다.

내가 가장 좋아하는 영화를 보고 같은 파트에서 울어줄 수 있는 사람이라서 사랑했고 그 영화들이 그 사람에게도 큰 영향을 주는 영화가 될 수 있음에 감사했다. 셀 수 없을 만큼 보고 또 본 〈노팅 힐〉을 그와 함께 처음 본 날, 그는 나에게 처음 사랑한다고 말했고 내가 단순히 화면 구성과 영상미, 귀여운 스토리라인 때문에 사랑하던 그 영화는 그날 이후로 나에게 더 큰 의미가 되었다.

함께 〈노트북〉을 봤던 날은 같은 장면에서 눈물이 터져버려서 화면을 멈추려고 동시에 손가락을 뻗었고, 그제야 오열하는 서로를 발견하고 왜 우냐며 서로를 놀리면서 울고 웃으며 손을 잡고 휴지를 가지러 달려 나갔다. 나는 단순히 주인공들의 사랑 얘기와 배우들의 패션과 영화 자체의 영상미 때문에 좋아했던 〈미 비포 유〉라는 영화가 그에게는 직업관에 큰 영향을 주는 영화가 되었고, 나는 그 사실이 신기했고 또 내가 그의 삶에 영향을 끼친 작품을 소개해줬다는 것이 뿌듯했다.

그와 멀리 여행을 떠난 시간들을 사랑했다. 둘 다 꽤나 여유로웠을 때 만났기 때문에 비수기 때 제주도를 다녀올 수 있었고, 덕분에 싼 가격에 오픈카를 빌릴 수 있었다. 우리는 아침부터 밤까지 계속 뚜껑을 열고 달리며 우리가 가장 좋아하던 〈115 만키로의 필름〉이라는 노래를 몇 번이고 소리 높여 따라 불렀다. 그를 만나기 전에도, 그와 헤어진 후에도 여전히, 〈115 만키로의 필름〉은 그 예쁜 가사 때문에 내가 가장 좋아하는 노래이고 그와 사랑했던 시간에는 우리의 노래였다.

우리는 내가 유치원과 초등학교를 다녔고, 그 사람이 예과 시절을 보낸 강릉을 같이 활보했다. 내가 다닌 제주도의 중학교에서 당시에는 없던 얼음이 깔린 아이스링크에서 둘이 혼신의 힘을 다해 스케이트 시합을 했다. 내가 일곱 살 때부터 매년 스키를 타러 다닌 용평 리조트에서 리프트 바를 빨리 올려야 한다며 티격태격했다. 그 사람이 공부하던 청라의 도서관에 앉아 소설책을 읽었다. 그의 시험이 끝나길 기다렸다가 며칠을 매일같이 만나 단둘이 놀았다. 이 모든 순간들이 믿을 수 없을 만큼 즐거웠고 벅차오르게 행복했다. 나의 과거가 우리의 현재가 되고 있다고 생각했고 그의 미래가 되고 있다고 생각했으며 우리의 시간이 함께 흘러가고 있다고 느꼈다.

그와 작은 화면 하나를 함께 보고 배달음식을 시켜 먹으며 보낸 느긋한 오후들을 사랑했다. 자막이 없어도 〈프렌즈〉나 영어권의 스탠드업 코미디를 보면서 함께 웃을 수 있는데, 또 〈태어난 김에 세계일주〉나 〈피식쇼〉를 보면서도 함께 웃을 수 있다는 것이 좋았다. 특별히 아무것도 하지 않아도 편했고 굳이 꾸밀 필요가 없었다. 엄청나게 큰 구슬아이스크림을 시켜놓고 억지로 한 번에 다 먹어버렸다가 둘 다 배탈이 나기도 했고, 공부하러 나가기로 해놓고 귀찮다며 그냥 누워서 핸드폰만 보다가 아무것도 안 한 채로 하루가 지나버릴 때도 있었다.

그렇게 함께하던 모든 일상이 헤어짐을 결심한 순간 한순간에 사라지는 것이 참 허무하게 느껴졌다.

열일곱 열여덟의 나는 비관주의와 허무주의에 빠졌다. 그 사람을 만난 스물 셋의 나는 여전히 매우 비관적이었고 허무주의적인 가치관을 가진 사람이었다. 아등바등 살아남아봤자 결국 남는 게 없을 것 같았고 앞으로 인생에 대해 기대해 봤자 실망만 클 거라고 생각했다. 그리고 그 실망을 두려워했다. 우리가 만났던 그 짧은 기간 동안 그 사람은 내 그런 관점을 바꿔주려고 무던히도 노력했다.

그러나 내 비관주의와 허무주의는 내 나름의 자기방어 기제였고 나는 언젠가는 변화해야 하는 것을 알면서도 쓸데없는 고집을 부리면서 내 의견을 방어했다. 그래야 내 자존심과 내가 아는 내 자신이 지켜지는 줄 알았다. 나는 현재까지 행복하게 살았기 때문에 이제 더 이상 내 인생에 별다른 미련이 없다고 입버릇처럼 말했다.

그럴 때마다 그는 지금까지 행복하게 살았고 현재도 행복하기 때문에 더 이상 삶에 미련이 없는 거라면 왜 앞으로는 행복할 거라고 생각하지 않냐고 물었다. 내가 행복하기로 정하면 당연히 앞으로도 행복할 수 있는 거라고, 또 본인이 행복하게 만들어 줄 거라고, 몇 번이고 반복해서 말해주곤 했다. 나는 그의 그런 노력들이 고마웠고, 그런 사람이 내 옆에 있음에 감사했다. 그럼에도 불구하고 나는 몇 년을 지켜온 내 자기방어기제를 나를 안 지 얼 마 되지도 않은 이 사람이 뒤집어버릴 수 있다는 게 무서웠다.

그가 떠나고 나서야 그 사람이 옆에 없다는 게 더 무섭다는 걸 알았다. 그리고 나는 이미 변해있었다.

연애 초, 그 사람이 써 준 편지에 이런 말이 있었다.

> "함께의 시간은 놀랄 만큼 빠른데
>
> 돌아보면 시간의 밀도는 놀랄 만큼 빼곡하더라.
>
> 또 너를 만나면 얼마나 행복이 가득한 시간이 될까 기대가 되어서

보고 싶다고 그리워하면서 보내는 지금 이 시간에도 사실은 행복해하고 있는 것 같아.

[너]를 만나는 건 그렇게나 설레고 기대되고 행복한 일이니까, 그러니까,

[너]도 행복하게 해 주고 싶은 마음이 드는 거야."

문득 아주 예전에 누군가 그런 말을 했던 생각이 난다. 사람만이 사람을 변화시킬 수 있다고. 모든 연애가 그렇겠지만, 우리가 무슨 세기의 사랑을 한 것도 아니지만, 나는 그 사람을 만나고 헤어지면서 꽤 많이 변했다. 나를 괴롭히던 기억에서 벗어날 수 있었고 가치관에 큰 변화가 생겼으며 많이 행복해졌다. 그 사람은 종종 본인으로 인해 누군가가 조금이라도 더 행복해진다면 본인의 인생이 가치 있는 거라고 생각한다고 말했다. 그래서 이 이야기를 꼭 해 주고 싶었다. 짧은 만남이었지만 나에게는 꽤나 밀도 있던 만남이었던 덕분에 행복한 기억이 정말 많이 생겼고, 지금도 내가 그만큼 변화한 덕분에 더 행복하다고. 그건 고맙다고.

안녕,

벚꽃이 눈꽃이 되고

안녕, 나는 잘 지내고 있다.

가끔 멀리서 네가 보이면 피하려고 노력하고 있는 중이기는 하지만, 나는 그래도 잘 지내고 있다. 아니, 잘 지내려고 노력한다는 표현이 맞을까? 그래도 너는 좋아 보여서 참 다행이라고 생각한다. 우리가 같이 가던 카페로 가는 길에 내 이어폰에서는 우리가 같이 듣던 노래가 흘러나온다. 이럴까 봐 걷기 싫었는데, 생각과 다르게 내 발은 자연히 그 카페로 또 향한다. 절대 오지 않겠다고 어젯밤에도 또 다짐했지만 다 부질없었다. 아침 일찍부터 이 카페로 향하는 발걸음은 어느새 참 당연한 게 되어 버린 것만 같아 한숨이 나왔다.

한숨을 쉬는데, 뿌연 김이 올라왔다. 휴대폰을 들어 날짜를 확인했다. 12 월 5 일, 우리가 서로를 그만둔 지 벌써 두 달이 지났구나. 언제 이렇게 추워진 건지, 하아- 하고 괜히 숨을 한 번 더 내뱉으면서 나는 또 네 생각을 했다. 겨울이면 항상 같은 패딩을 입고 같은 목도리를 하고 다녔었는데. 좋아한다고 말하고 싶어도 이제 내 곁에 없는 너를, 또 나 혼자 생각한다. 벚꽃이 사드라지게 피어 있던 거리에는 눈꽃이 흩날리고 있다. 같이 걷던 거리는 그대로인데 계절은 변했고, 나는 이 길을 이제 혼자 걷는 중이다. 우리가 서로를 그만둔 후의 너는 이 길에서 보이지 않는구나, 난 항상 그 자리에서 홀로 걷고 있는데. 네가 유난히 보고 싶었다.

우리가 자주 가던 카페에 도착했다. 딸랑- 경쾌한 종소리와 함께 나는 문을 당겼다. “당기시오”라고 쓰여 있는 문이다. 성격이 급한 너는 매 번 이 문을 밀어버리곤 했다. 또 네 생각에 피식 하고 웃음이 새어 나온다. 어서 오세요, 또 오셨네요, 하고 아르바이트 분이 인사해 주셨다. 카페가 문을 열 때 일하는 아침 아르바이트 분이다. 두 달째 매일같이 아침마다 왔기 때문에 어느새 익숙해졌다. 너와 함께 올 때는 항상 오후에 왔기 때문에 이 분은 한 번도 보지 못했었는데. 우리가 함께 있던 그곳에서조차 너와 내가 서로 모르는 점이 생겼구나.

항상 달달한 스무디를 시키던 나인데, 오늘은 뭔가 졸려서 아메리카노를 시켰다. 아니, 거짓말이다. 유독 네 생각이 많이 나는 날이라 괜히 네가 좋아하던 아이스 아메리카노를 시킨 것뿐이다. 마침 오늘은 딱히 스케줄이 없는 날이라 느긋하게 자리를 잡아본다. 네가 좋아하던 책을 편다. 지금은 내 앞에 아무도 앉아있지 않다. 네 자리는 그대로 비어 있는 채다. 네가 좋아하는 책과 네가 좋아하는 커피는 네가 좋아하던 시간과 공간 속에 나와 함께 있는데, 내가 좋아하는 너는 지금 여기 없다.

너는 내 일상이었다. 우리는 많은 시간을 함께했다. 그러나 너는 내가 잠깐 빌려온 일상이었다. 너의 따뜻한 품도, 항상 달려와주던 열정도, 꿀 같던 눈빛도, 어느 하나 영원하지도, 당연하지도 않았다. 아주 잠시 내가 너의 일상에, 네가 나의 일상에 머무를 뿐이었다.

연애하는 동안에는 그 사람을 빌려오는 거라던 말이 있다. 서로의 모든 게 영원하지도, 당연하지도 않기 때문에 우리는 서로를 빌린 동안 최선을 다해야 한다. 눈을 맞추고, 아낌없이 사랑을 표현해야 한다. 언제 이 시간이 끝날지 모르니까, 언제 이 사람이 떠날지 모르니까. 사랑은 영원하지 않을 수 있지만 오롯이 사랑했던 기억은 영원하다. 그래서 사랑하는 순간만큼은 더 상대에게 최선을 다해야 하는 거였다. 그게 결국 나를 위한 길이기도 하니까.

그렇게 나는 최선을 다했다. 오늘 같은 날에는 네가 그립기는 하지만 후회나 아쉬움은 없다. 그래서 나는 잘 지낸다. 안녕.

2 호선

신림에서 신촌까지

2020 년, 한창 코로나가 유행할 때 엄마와 남동생과 셋이 강남역에 살았던 적이 있다. 당시 서울에서 고등학교를 다니던 동생은 강남역과 역삼역 사이 오피스텔에서 지내고 있었고, 엄마는 미성년자인 동생과 함께 주로 서울에 계셨으며 나는 강릉 본가와 서울 집을 왔다갔다하며 지냈다. 코로나 때 세계 각국에서 유학하던 고등학교 때 친구들이 다들 반 강제적으로 한국으로 귀국했고, 우리는 가끔 강남에서 모였고, 그래서 완전히 귀국하기 전까지 서울에서의 기억은 대부분 강남역 인근에서의 기억들로 가득하다.

그런데 강남역 주변을 제외한 서울에서의 모든 기억은 단 한 명 뿐이었다. 2022 년 겨울, 한국에 귀국해서 처음 자리잡은 곳은 신림역에서 마을버스를 타고 10 분 정도 들어가면 나오는 아파트였다. 2024 년 초, 밴드 활동과 아르바이트, 학원 때문에 매일같이 신림역에서 신촌역으로 향하는 2 호선을 탔다. 헤어진 직후 그 2 호선 열차 안에서 문득 너무 억울했다. 정차하는 모든 역이 그 사람이었다. 그는 서울 사람이었기 때문에 나를 만나기 전에도, 나를 만나면서도 가족, 동기, 친구와 서울 방방곳곳에 추억이 참 많았을 텐데 나에게 서울은 그냥 그 사람 한 명이었다. 그게 나는 참 억울했던 것 같다. 한 역 한 역 지나칠 때마다 생각나는 기억이 모두 그 한 사람인 게 슬펐다. 내 서울은 온통 그였다.

[신림]

사귄 지 이틀 째 되던 날, 그 사람이 퇴근하고 신림역 주변으로 와 주었다. 예배가 끝나자마자 달려나가 그를 만났다. 연인 사이가 된 후 첫 데이트, 첫 포토부스 사진. 어색하게 맞잡은 손과 눈이 마주칠 때마다 부끄러워 괜히 다른 곳으로 향하던 시선. 모든 게 간지러웠다. 아직 좋아한다고 말로 표현하기도 어려웠다. 보드게임 카페에 앉아 있을 때는 자꾸 얼굴이 달아오르는 느낌에 괜히 팔에 얼굴을 묻었다.

학원이 끝나고 심야 영화를 보러 간 날이었다. 〈그대들은 어떻게 살 것인가〉를 보기로 했다. 나도, 그 사람도 몇 달 전부터 기대하고 있던 영화였고 몇 달 전부터 함께 보기로 약속했던 영화였다. 그런데 영화보다 내 옆에 앉아있던 그 사람이 더 신경쓰였다. 그도 마찬가지였는지, 영화는 상영되고 있는데 우리는 자꾸만 눈이 마주쳤다.

크리스마스 당일, 본가로 내려가기 전 그 사람이 우리 동네로 왔다. 내가 크리스마스 선물로 준 운동화를 신고 있던 그 사람과 같이 햄버거를 먹고 쇼핑몰을 돌아다녔다. 이것저것 구경하다가 옷가지와 악세서리를 샀다. 서점을 구경했다. 나는 그와 함께 서점을 돌아다니는 게 즐거웠다. 서로 좋아하는 책 이야기를 하다가, 일본어가 배우고 싶다던 그 사람에게 일본어 책을 추천해줬다가, 시집을 열어서 시를 한두 편 읽기도 했다. 겨우내 내 침실이 너무 건조하다는 걸 알고 있던 그가 가습기를 보자마자 선물이라면서 가습기를 하나 사 주었다. 어느새 저녁이었다. 그의 차에 커다란 가습기를 싣고 집으로 돌아왔고, 나를 내려주고 그 사람은 본가로 향했다.

-

나는 신림역 바로 앞에 위치한 교회에 다닌다. 교회에 더 열심히 나갔다. 예배가 끝나면 교회 친구들과 신림역 주변에서 밥을 먹었다. 매 주일마다 신림역 주변에서 새로운 추억이 쌓여갔다. 그와 같이 사진을 찍었던 포토부스에서 다른 친구와 사진을 찍었고, 그가 좋아하던 샐러드 집을 다른 친구에게 소개해 주었다.

새로운 사람을 만났다. 만날 때마다 신림역에서 만나서 같이 지하철을 타고 이동했다. 다른 사람들과의 추억이 그 사람만 가득하던 장소를 조금씩 덮었다. 매일같이 지나는 동네라 그런가, 그의 잔상이 비교적 빨리 사라졌다.

[문래]

12 월 23 일, 충청도 할머니 댁에서 가족들과 시간을 보내고 나는 24 일 낮에 고속버스를 타고 서울로 올라왔다. 그가 고속터미널로 나를 데리러 왔고, 집에서 대충 옷을 갈아입은 후에 우리는 곧장 문래역으로 향했다.

평소에 해 보고 싶었던 향수 만들기 원데이클래스를 예약해 두었다. 나는 한창 풀 냄새에 빠져 있었기 때문에 풀 향이 진하게 나는 향수를 만들었고 그는 갖고 싶다던 디올의 남자 향수와 비슷한 향을 만들어냈다.

저녁을 먹고 그 사람이 예약해 둔 인디뮤지션의 라이브 공연을 볼 수 있는 펍으로 향했다. 내가 좋아하는 모스카토 와인을 한 병 시켜서 나눠 마셨다. 함께 시킨 치즈 플레이트에 그가 좋아하는 치즈가 없었기 때문에 그는 잠깐 투덜거렸다. 그러나 이내 뮤지션들의 노래에 감동한 그는 와인병에 숟가락을 꽂아 마이크를 만들었고, 립싱크로 노래를 따라부르기 시작했다. 내가 가장 사랑하던 장난스러운 모습이었다.

너무 추운 날이었는데, 나는 원피스에 짧은 코트 하나만 걸친 채였다. 내가 추위를 많이 타는 걸 아는 그 사람은 장난스레 한숨을 쉬더니 겉옷을 나와 바꿔 입었다. 나한테도 짧은 코트였기 때문에 그 사람이 입었을 때 소매도, 기장도 너무 짧아 꽤나 우스꽝스러워졌다. 아, 춥다- 고 외치며, 되도 않는 스텝을 밟으며 그 사람이 뛰었다. 나는 그를 따라 뛰었다. 우리는 약간 취기가 오른 채로 한참을 웃었다.

\-

새로운 사람을 만났다. 나는 문래에 다른 사람과의 기억이 생겼으면 좋겠다는 생각으로 굳이 약속을 문래동으로 잡았다. 계절은 더이상 겨울이 아니었고, 내 옷가지는 꽤 얇아졌다. 그 사람과 걷던 거리를 다른 사람의 옆에서 걸었다. 기분이 이상했다. 나는 다른 사람과 하이볼을 마셨고 엘피판에서 흐르는 노래를 들었다. 이야기가 잘 통했고 비슷한 경험을 공유하고 있었다. 즐거웠다. 그 때, 그 사람과 내가 함께 듣던 노래가 흘러나왔다. 아, 마침 또 이 주변에서 만들었던 향수를 뿌리고 나왔다. 새로운 사람에게는 미안했지만 그렇게 또 생각나 버리고 말았다. 그러나 얼마 안 되어 나는 새로운 사람과도 꽤 많은 취향을 공유한다는 사실을 알게 되었다. 같은 공간, 같은 향, 다른 계절, 다른 사람.

[영등포구청]

딱히 데이트 계획이랄 게 없었던 날이었다. 사실 우리는 항상 별 계획이 없었다. 그 날도 어김없이 그가 나를 데리러

집 앞으로 왔고, 우리는 그냥 영화를 보기로 했다. 그는 〈귀멸의 칼날〉이, 나는 〈웡카〉가 보고 싶다고 했다. 가까운 영화관을 찾았다. 영등포 타임스퀘어로 가자. 〈귀멸의 칼날〉을 보러 갔다. 한 번도 본 적 없는 영화였기 때문에 나는 내용도, 등장인물도, 전혀 아는 게 없었다. 그가 소곤소곤 내용을 설명해 주었다. 사실 나는 아직도 그 애니메이션이 무슨 내용인지 잘 모른다. 그냥 〈귀멸의 칼날〉이 보이면 그 사람이 생각날 뿐이다.

영화가 끝나고 지하의 이마트에서 음료수를 샀다. 〈웡카〉를 보기 위해 초콜릿도 샀다. 마침 내가 정말 좋아하던 뉴질랜드의 초콜릿을 팔고 있었다. 함께 샀던 폰케이스가 갈변했다고 그가 말한 적이 있었는데, 이마트 앞에서 폰케이스를 대량 할인판매하고 있는 부스가 있었다. 영화 시간도 조금 남아서, 우리는 바로 새로운 커플 폰케이스를 고른다. 이번에는 아예 똑같은 모양이다. 하얀 폰케이스로 갈아 끼우고 서둘러서 영화를 보러 올라갔다. 나는 〈웡카〉에 나오는 노래들도 좋았고, 안무와 영상의 구성도 꽤 볼만했다고 생각했는데 그는 마약 카르텔 이야기만 한다. 뭐야, 오빠 동심을 아예 잃어버렸네, 하고 웃었다.

–

나는 차를 끌고 영등포로 향했다. 새로운 사람과 영화를 보기로 했다. 이번에는 내가 굳이 약속을 이 쪽으로 잡은 건 아니었는데, 어쩌다 보니 그렇게 되었다. 영화를 보고 카페에 갔다. 건물을 나서서 거리를 산책했다. 비가 많이 오는 날이었다. 우산을 나눠 쓰고 걸었고, 그가 내가 길치라는 핑계로 주차장까지 나를 데려다 주었다. 영등포에도 새로운 기억이 하나 생겼다. 그 사람이 전부가 아니게 되었다.

[당산]

아직 사귀기 전의 일이다. 두어 번 데이트를 하고, 매일 카카오톡을 주고 받았다. 한밤중에 전화로 쓸데없는 얘기를 하다 나는 나름대로의 용기를 내서 그에게 내일 뭐하냐고 물었다. 마침 둘 다 저녁약속이 있었기 때문에 잠깐 시간을 내서 낮에 만나기로 했다. 그 사람의 약속 장소와 내 약속 장소의 중간 쯤에서 싼 주차장을 찾았다. 당산역 주변에 당일권 4000 원의 주차장이 있었다. 그렇게 당산역이 우리의 세 번째 데이트 장소가 되었다. 부슬부슬 비가 내리고 있었는데, 식당 사장님께서 우산을 빌려 주셨다. 비닐 우산 하나를 나눠 쓰고 걸었다. 작은 카페에 갔다. 두번째 만난 날 그가 스다 마사키를 좋아한다는 사실을 알았고, 나는 당산에서 만나기로 한 그 날 스다의 앨범 두 장을 가져갔다. 자, 한정판 DVD 도 들어 있어, 보고 돌려줘야 해. 그렇게 다음에 또 만나기 위한 핑곗거리를 만들었다.

–

친구와 당산역에서 만나서 점심을 먹고 돌아다녔다. 다른 사람과 첫 데이트를 한 직후였기 때문에 나는 친구에게 그 후기를 실컷 푼다. 당산역에 할 게 없다는 친구의 투덜거림에 못 이겨 홍대입구역으로 넘어갔다. 홍대를 돌아다니다가 해가 질 시간이 되었다. 친구가 예쁜 걸 보여주겠다며 다시 2 호선으로 나를 잡아끌었다. 합정역에서 당산으로 넘어가는 구간, 2 호선이 지상을 달리는 구간, 한강 위로 노을이 지고 있었다. 날이 좋았다. 그리고 한강에 비친 노을이 예뻤다.

[합정]

밴드 합주실이 합정역에 있었다. 그 사람은 나를 자주 데려다 주고 데리러 왔다. 밴드 멤버들과 합주가 끝나고 밥을 먹고 술을 먹을 때도 합정역 앞 카페에서 책을 읽으며 기다리기도 했다. 굳이 그 주변에서 약속을 잡아 잠깐 얼굴을 보기도 했다. 그리고 항상 내 기타를 들어 주었다. 시간이 남으면 역전의 중고서점에 들어가 책을 구경했다. 나는 자기계발서를 좋아하지 않는데 그는 그런 류의 책을 꽤 좋아했던 것 같다. 합주 전에, 혹은 합주가 끝나고 나를 데려다 준, 또 나를 기다려 준 그와 합정역 주변 골목에서 둘이 밥을 먹곤 했다.

눈이 많이 오는 날 꽉 막힌 도로에서 마냥 예쁜 눈을 보고 스다 마사키의 노래를 크게 따라 부르며 천천히 시간을 보냈다.

-

그와 헤어지고 새로운 밴드 활동을 시작했다. 합주실은 같은 곳이었다. 추운 겨울날 기타를 메고 그렇게 자주 걸었던 길을, 이번에는 반팔 티 한 장으로 충분한 계절에, 아무 악기도 없이 걸었다.

거의 매일 신촌에 있었기 때문에 합주 전 시간이 남으면 미리 합정역으로 가 그가 나를 기다리던 카페에 앉아 책을 읽고, 그림을 그리고, 글을 썼다. 합주 전에 친구를 만나는 약속은 주로 합정역에서 잡아서 다양한 친구들을 합정역에서 만났다. 합주가 끝나면 매번 밴드 멤버들과 합주실 주변에서 밥을 먹고 술을 먹었다. 거의 매주 합정역 주변에서 술자리를 가지게 되었다. 그와 나란히 걷던 길을 다른 친구들과, 또 밴드 멤버들과 걸었다. 신림과 마찬가지로 이 장소에서 그의 모습은 꽤 금방 다른 이미지들로 덮였다.

[신촌]

그 날도 만날 계획이 있던 건 아니었다. 그 사람은 그 사람 나름대로, 나는 내 나름대로 약속이 있었다. 나갈 채비를 하면서 통화했다. 둘 다 약속장소가 신촌이었다. 어쩌다 보니 그 사람의 친구를 처음 만났다. 내 친구를 처음 소개해줬다. 넷이 한두 시간을 바에 앉아 있다가 친구들이 먼저 떠났다. 카운터석으로 자리를 옮겨 칵테일을 이것저것 마셨다. 취기가 오른 채로 밖으로 나와 사진을 찍고 택시에 탔다. 그가 나를 집 앞까지 데려다 주었고, 헤어지기 싫은 마음에 괜히 달빛이 비치던 집 앞 놀이터에서 한 시간을 넘게 있었던 것 같다.

–

신촌에서 그 사람의 기억이 덮어지는 건 쉬웠다. 학원과 알바 때문에 매일같이 가는 장소였고, 그래서 다른 사람들을 신촌에서 참 많이 만났다. 그 사람과의 기억보다 다른 기억이 훨씬 많아지는 건 금방이었다. 그의 모습이 희미해질 때 쯤 문득, 그와 같이 갔던 바 앞을 지났다.

그 사람과 나는 둘 다 차를 끌고 다녔기 때문에 주로 차로 이동하는 일이 많았다. 정작 그 사람과 같이 지하철을 탄 적은 손에 꼽을 정도로 적다. 그런데도 모든 역이 그 사람이었다. 2 호선이 멈추지 않는 곳에서도 우리는 여기저기 잘 다녔다. 여행도 좋아했다. 그러나 그 사람과 헤어지고 나는 매일 2 호선을 탔고, 그 지하철 안에서 그 사람 생각이 참 많이 났던 것 같다. 여전히 나의 서울에서의 기억에서 그가 차지하는 부분은 작지 않다. 그러나 시간이 지날수록 다른 사람들과의 다른 시간들도 생겨나고 기억들이 자라난다. 나 역시 서울에서 가족, 친구, 지인들과의 추억이 많아졌다. 나는 그렇게 새로운 기억들을 쌓았고 그가 없는 서울에 적응해갔다. 그렇게 나에게 서울은 그냥 서울이 되었다.

산산조각

아예 부서져 가루가 되어 버리자

우리는 이미 깨어졌다. 돌이킬 수 없는 조각이 되어버렸다. 그래, 그렇다면 더 박살이 나 보자. 부딪히고 넘어지고 떨어지자. 아예 가루가 되어 버리자. 그렇게 부서지자. 산산조각나 더이상 형체를 알아볼 수 없을 만큼 고운 가루가 되어보자.

가루가 되어 섞여버리자. 더이상 내가 너인지, 너가 나인지 모를 만큼 고운 입자가 되어 하나가 되자. 어디 한 번 그렇게 해 보자.

그러나 그것은 결국 나를 잃는 것이다. 내 형체를 잃고 부서져야만 하고 떨어져야만, 그렇게 고통스럽게 산산조각 나야만 나는 가루가 될 수 있을 것이다. 그래서 나는 너를 사랑하며 가루가 되기보다 이제는 내 온존한 형체를 사랑하기로 했다. 너와 나는 이미 우리가 아니게 되었고 하나가 아닌 둘이 되었다. 한 번 깨진 조각은 돌이킬 수 없다. 그러니 그냥 여기서 그만 두자. 서로를 망가뜨리고 가루가 되지는 말자.

참 아이러니하다. 나는 네가 깨어지는 게 싫어 나보다도 더 사랑했던 너를 그만두기로 했다. 내가 네 옆에 있을 때 우리는 깨어졌다. 그게 싫었다. 더이상 부딪히고 넘어지면 정말 가루가 되어 버릴 것만 같았다. 그렇게 고운 입자가 되어 서로의 형체를 잃어야만 이어갈 수 있는 관계라면 관두는 게 맞았다.

그러나 그 와중에도 나는 네가 부서지는 게 싫어 너를 던지지는 못하였다. 끝까지 이기적이었다.

3부.

시퍼런 봄에 던져진

우울의 기록

혼잣말의 조각

우리 몸은 자주 병든다. 큰 병이든, 잔병치레든, 살아나가고 있는 이상 우리는 모두 아프기 마련이다. 병은 증상과 통증으로 자신의 존재를 알린다.

나는 유학하던 몇 년간 유독 자주, 유독 많이 아팠다. 열이 심하게 오를 때면 내 몸과 내가 누워 있는 자리가 전부 비현실적으로 느껴졌다. 끙, 하고 침대에서 몸을 일으켜 보려고 내가 내 무릎에 손을 올려도 이물감밖에 들지 않았다. 내가 다른 사람의 무릎을 짚는 듯 싶기도, 다른 누군가가 내 무릎에 손을 올리고 있는 듯 싶기도 하다. 무언가에 단단히 취해 있는 기분이 들어 다시 몸을 뉘였다.

그렇게 혼자 아프길 며칠, 불 꺼진 기숙사 방에서 혼자 울다가 문득 내가 우울하다는 생각이 들었다. 이 아픔 속에서 고독을 발견하고 가라앉고 있었고 사람들과 환경에 치여

구르다 못해 동떨어진 것 같았다. 진흙탕에서 구르고 바닷속으로 가라앉은 보잘 것 없는 돌멩이가 된 것 같았다. 이 와중에 몸도 못 움직이고 그저 자다 깨기를 반복하는 내 스스로가 싫었다.

기숙사의 사감 선생님이나 하교하고 돌아온 룸메이트가 나를 챙겨주긴 했지만 혼자 누워 있어야 했던 낮이 싫었다. 암막커튼을 쳐 두고 어둠 속에 홀로 아파하고 울게 되는 그 시간이 너무도 싫었다. 그러다 보면 내가 떠나온 곳을 그리워하게 되었으나 그와 동시에 모든 것을 잊고 내 스스로에 대해서만 생각하게 되었다.

그렇게 나 혼자 남겨진 어두컴컴한 방 안에서 나는 생각했다. 어두운 곳에서는 내 그림자도 나를 떠난다.

내가 나 자신을 잘 알아주지 못할 때 사람은 고독해지고, 고독이 심해지는 순간 사람은 우울해진다. 나는 가끔 모든 걸 관두고 싶었다. 돌멩이가 되고 싶었다. 생각도 없고 생명도 없는, 사람에 차이고, 비에 젖고, 바람에 깎여나가도 슬프지도, 춥지도, 아프지도 않을 돌멩이가 되고 싶었다. 단 며칠 혼자 아팠다고 금세 연약해지는 내가 싫었다.

스스로가 가식적이라고 생각했다. 나는 남들이 내 우울을 알게 되는 게 두려웠다. 그게 내 약점이 될 것만 같았다. 내 생각보다 남의 시선이 더 중요하고 나보다 남들을 더 신경 쓰는 것은 내 오랜 버릇이었다. 괜찮아 보이고 싶었다.

다른 모든 건 기억 하면서 내가 한 말은 기억을 잘 못 할 때가 있었다. 다른 사람의 진심을 들어도 내 진심을 말로 표현하기가 어려워, 가면을 쓰고 대화를 했고, 그래서 스스로가 가면을 쓰고 있다고 생각했다. 진솔한 대화를 나누고 싶은 상대도 있었으나 버릇처럼 방패를, 두꺼운 가면을 얹었다.

그러나 가면을 쓰고 괜찮은 척 하는 것도 대단한 일이라는 걸 알았다. 괜찮지 않은 날에도 괜찮은 척, 아무일 없는 척 살아내는 것만으로도 나는 잘 살고 있었다. 우울하면 우울한 대로 나를 사랑해줘야만 했다. 별 것 아닌 하루가 지나고 또 대단하지 않은 하루가 와도 그 매일을 살아내는 것 자체로 대단한 내 자신을 나는 사랑하고 싶었다.

나는 참 사랑하는 사람이 많다. 안부를 묻고 웃으며 대화하고 잘 자라는 인사를 건넬 사람이 많다. 그러나 나는 나의 안부를 묻지 않았고, 나에게 웃으며 말을 걸지도 않았으며, 내 스스로에게 잘 자라고 말을 걸지도 않았다. 나는 나를 사랑해주지 못하고 있었다. 그래서 나는 우울했다. 계속해서 우울이라는 심연에 빠져들어갔고 한 번 가라앉은 나는 떠오르는 방법을 몰랐다.

남들이 나를 동정하기를 바랐던 것 같다. 내가 나를 안쓰러워하지도 않으면서, 마냥 남들이 나를 봐 주기만을 바랐다. 타인이 나를 신경 써 주길 원했다. 미움받기는 죽기보다 싫었다. 그러나 나는 나를 봐 주지도, 신경 써 주지도 않았다. 나는 나를 미워했다. 스스로도 못 해내는 걸 남들이 해 주기만 바라고 있었다니, 지금 생각해 보면 정말 염치 없지 않은가.

내가 선택한 유학이었지만 그 선택에 회의감이 들 때도 있었다. 다른 길을 가는 친구들을 부러워하고 그들과 나를 비교했다. 내가 선택한 이 길이 맞는 길인지 수없이 의심하고 또 의심했다. 그러나 그 길이 맞는지 아닌지는 결국 가 봐야 아는 거였다. 가 봐서 아니라면 또 다른 길을 찾으면 된다. 길의 끝은 언제나 다른 길의 시작이었다.

인생이라는 기나긴 여정에서 나는 내 길을 선택하고, 가끔은 방향을 틀어버리고, 때로는 멈춰 서서 고민한다. 그 과정에서 더는 더 깊은 우울의 바다로 빠지지 않기로 했다.

끊임없이 우울해 하고 나를 싫어하는 일은 결국 나 혼자만을 다치게 하고 힘들게 하는 일이었다. 물론 우리 모두는 살아가면서 가끔 우울할 수도, 가끔 뜬금없는 눈물이 날 수도 있다. 그러나 그것도 버텨내면 결국 또 행복할 날이, 웃을 순간이 찾아온다는 것도 우리는 안다.

결국 나 스스로를 책임져야 하는 건 내 자신이다. 그 누구보다도 내가 나를 잘 안다. 나는 내가 가장 중요한 사람이 되었다. 내가 가는 길에 확신이 없어도 어떻게든 되겠지, 결국엔 잘 풀리겠지, 라고 가볍게 생각할 수 있는 사람이 되었다. 모든 걸 그만두고 싶은 순간이 오면 멈춰 서서 앉아버릴 수 있는 사람이었던 나는 다시 일어나서 걸음을 뗄 방법을 배웠다.

가장 힘들었던 고등학생 시절이 다 지난 몇 년 후, 또다시 나는 아팠다. 위병이 나 하루 종일 아무것도 먹지 못했는데도 계속 토했고 열이 올라 정신이 혼미해졌다. 혼자 아픈 게 서러워 울었다. 그런데 암막커튼 틈새로 햇빛이 들어왔다. 내가 혼자 울고 있던 그 어둡디 어두운 방에서는 작은 빛도 유난히 밝았다. 내가 깨져버린 만큼 나에게 오는 빛은 더 많이 반사되어 더 반짝였다.

그날 밤, 나는 내 스스로에게 말을 걸었다. 혼자 이 병을 견뎌내느라 고생했어, 하고 스스로를 다독였다. 나에게 괜찮냐 물었고 내 안부를 궁금해했다. 그리고 나에게 잘자라는 굿나잇 인사를 건넸다. 이불 속이 따뜻했다.

나는 우울해했다. 그러나 시간이 지나고 성장할 수록 괜찮아졌다. 나도, 주변의 사람들도, 내가 살아가는 세상도 시간이 지나면 변했다. 모든 것은 변한다. 삶도 파도처럼 널뛰며 좋았다, 나빴다, 반복한다. 그러나 결국 나를 행복하게 하는 건 내 자신이고, 잠깐 우울하더라도 다시 파도를 타고 행복해지면 된다. 나를 사랑하기만 하자. 그럼 나는 내일 다시 행복할 테니 오늘은 잠시 우울해도 된다.

2017년 12월 30일

나라도 애써 밝아야 하는 건지, 무섭고, 슬프고, 어쩔 줄 모르겠는 감정 그대로 드러내도 되는 건지, 눈물이 터져 나오는 걸 억지로 꾹 누르다가 입술이 터져버렸다. 살면서 한 번도 내 주변의 누군가가 죽음에 이른 적이 없었다. 열 일곱 해를 살면서 기억하는 결혼식도 없지만 한 번도 제사나 장례식에 다녀온 적이 없다. 시신을 본 적도 당연히, 없었다. 모든 것이 처음이었다.

방학이었기 때문에 마침 귀국해서 당시 서울에 계시던 친척 댁에 신세를 지면서 학원에 다니던 때였다. 한밤중에 학원이 끝나자마자 엄마에게서 온 카톡 하나에 부리나케 지하철을 타고 고속버스터미널로 달려갔고, 가장 빠른 버스를 타고 천안으로 내려갔다. 하필이면 비가 주룩주룩 내리던 밤이었고, 또 하필이면 나는 우산도 없었다.

그 와중에도 며칠 밤을 제대로 못 잤던 나는 가는 길 버스에서 잠들었는데, 버스 옆자리 분은 나에게 어깨를 내어주셨고 비를 맞으면서 컴퓨터가 든 책가방을 멘 채로 택시를 기다리던 줄에서는 뒷분이 우산을 씌워 주셨다. 택시아저씨는 열두 시가 다 되어가는 시간에 터미널에서 병원으로 달려가는 나를 보고는 속도를 더 내주셨다.

그러나 이미 너무 늦었다. 내가 도착하기 20 분 전, 내 유일한 삼촌은 눈을 감으셨고, 뒤늦게 도착한 내가 본 건 병실 앞에 진을 치고 있던 모르는 사람들과 병실 안에서 흘러나오던 내 가족의 오열이었다. 내 엄마와 외할머니, 외숙모와 사촌들은 죽은 이의 얼굴을 어루만지고 말라비틀어진 그 팔을 붙잡고 목놓아 울고 있었다.

내가 본 삼촌의 마지막 모습에는 생명이 없었다. 사람이 이렇게까지 마를 수가 있을까 싶을 만큼 심하게 빼빼 말라 있었고, 몸에는 털이 하나도 없었으며, 피부는 샛노란 색을 띠었고, 뼈들은 하나같이 툭 튀어나와 있었다. 그리고 맑게 빛나기만 했던 그 두 눈은 감겨 있었다.

외할머니는 조용히 삼촌이 어렸을 때 참 예뻤다면서, 어른들에게 예쁘게 생겼다는 소리를 참 많이 들었다며 흐느끼고 계셨고 엄마는 목놓아서 오빠를 부르고 있었으며 나와 동갑인 사촌은 구석에서 뒤돌아서 조용히 울고 있었다. 그리고 아직 열한 살이었던 내 사촌동생은 아빠를 부르며 엉엉 울다가도 병실에서 나와서는 “언니!”라고 나를 부르며 학교 얘기, 친구들 얘기, 학원 얘기를 하면서 해맑게 웃었다.

장례식장 앞에 내렸을 때 나는 오랜만에 눈을 보았다. 오클랜드에는 겨울에도 눈이 잘 내리지 않았기 때문에 참 오랜만에 보는 눈이었다. 근데, 한 번도 본 적 없는 영화같이 예쁜 눈이었다. 두꺼운 눈송이가 천천히 깃털처럼 내려오고 있었고 그 눈들이 적당히 소복소복 쌓이고 있었다. 12 월 31 일이 된 시점 즈음부터 비는 눈이 되었고 사람들도 이제 어느 정도 울음을 그쳤다.

내 핸드폰은 배터리가 다 되어 꺼졌고 워낙 정신이 없었기 때문에 나는 신세 지던 친척 댁에 연락하는 걸 잊어버렸다. 몇 시간이 지나고 나서야 사촌오빠와 연락이 닿았고 뒤늦게 소식을 들은 고모와 할머니는 무엇보다도 내가 무사해서 다행이라고 하셨다.

삼촌의 초등학교 친구 중 하나인 목사님이 다른 초등학교 친구들과 함께 오셨고, 우리는 장례예배를 드렸다. 우리는 삼촌을 기억하며 웃었고, 울었다.

고인은 말이 없다. 2018 년을 코앞에 두고 삼촌은 떠나셨고 48 년이라는 너무 짧은 인생을 뒤로하고 그는 고통을 끝냈다. 내가 외할머니 댁 침대에 누워 있는 지금도 바깥에서는 여전히 삼촌을 향한 외할머니의 기도소리가 들린다. 살아 있는 자는 죽은 자를 기리는 말을 한다.

시퍼런 봄에 던져진

우리가 길을 헤메이던 시퍼런 봄의 날들은 아직 한가운데

나는 내가 시퍼런 봄에 던져진 존재인 것 같다. 우리는 시퍼런 봄에 던져졌다. 지하철에 앉아 집으로 돌아가는 길, 스포티파이로 “시퍼런 봄”을 반복재생해 둔 상태에서 문득 내 스스로가 시퍼런 봄에 던져진 것 같다는 생각이 들었다.

고시공부를 그만두고 그토록 부족하기만 했던 시간이, 여유가 많이 생겼다. 나는 원래 참 해보고 싶은 게 많은 사람이고 도전하고 싶은 것도 많은 사람인 데다 새로운 사람들과의 만남을 좋아하는지라, 처음 만난 사람들과 밴드를 할 수 있다는 어느 프로젝트의 인스타그램 광고를 본 순간 홀린 듯 신청 폼을 입력했다. 그리고 한 달 후 나는 밴드 노필터의 보컬이 되어있었다.

나는 두어 번 이름만 들어본 정도였던 밴드 쏜애플은 나와 같은 팀이 된 멤버들 모두가 이미 좋아하던 밴드였고, 우리가 만난 첫날 쏜애플의 "시퍼런 봄"은 우리의 공연곡으로 확정된다. 물론 그 미친 고음을 소화해 낼 수 있던 남자 보컬 오빠 덕분이고, 미친 난이도를 소화해 낼 수 있던 세션들 덕분이다. 공연 날, 마지막 순서였던 우리의 마지막 곡이 된 시퍼런 봄은 정말 멋있었고 나는 우리의 시퍼런 봄을 사랑했다.

"시퍼런 봄." 한자로 생각해 보면 청춘. 청춘이다. 온갖 드라마나 영화에서 청춘은 주로 파랗고 아름답게 그려진다. 고난과 역경이 존재하는 청춘들도 미디어에 등장하긴 한다. 하지만 우리가 매체에서 접하게 되는 청춘은 주로 해피엔딩을 맞게 되고 그렇게 우리가 알 수 있는 그들의 이야기는 행복하게 끝맺음되고는 한다.

그러나 사실 청춘은 파랗고 아름답기만 하지는 않다. 서슬 퍼렇게 무섭고, 눈물 나게 힘들고, 쥐어짜듯 우리를 아프게 하기도 한다. 청춘의 한가운데에 있는 우리에게, 아니 적어도 나에게, 미래에 존재할지도 모르는 나의 해피엔딩은 아직 보이지 않는다. 끝없는 길이 존재할 뿐이고 그 과정의 무서움과 힘듦, 아픔이 눈앞에 보일 뿐이다.

"아무것도 하기 싫어 / 우리는 그늘을 찾았네

태양에 댄 적도 없이 / 반쯤 타다가 말았네"

곡의 첫 가사부터 아무것도 하기 싫어 그늘을 찾는다 한다. 태양에 댄 적도 없는데 반쯤 타다가 말았단다. 무언가에 노력을 한 번쯤은 해 본 청춘이라면, 그러나 그 무언가에 다다르지 못했던 경험이 있는 청춘이라면 더더욱, "시퍼런 봄"의 첫 가사가 와닿을 거라고 생각한다. 태양에 닿기 위해 노력했으나 닿지 못했을 때 우리는 아무것도 하기 싫어진다. 모든 것에서 달아나 그늘을 찾는다. 우리는 이미 반쯤 타버린 채로 발버둥친다.

"시든 꿈을 뜯어먹지 말아요

머뭇거리지도 말아요

어쨌거나 달아나진 말아요

오늘 하루를 살아남아요"

시든 꿈을 뜯어먹지 말자고 한다. 이미 시들고 빛바랜 꿈을 되돌아보고 굳이 뜯어먹지 말자. 시든 꿈은 수없이 많은 청춘이 경험하는 실패가 아닐까. 우리는 시퍼런 봄, 청춘 한가운데서 실패하고 좌절한다. 미련이 남을 것이고 아쉬움이 남을 것이다. 그렇게 시든 꿈을 뜯어먹게 되는 일도 있다. 되돌아가야 할지, 나아가야 할지, 나아간다면 어디로 가야 할지 몰라 갈팡질팡할 때도 있다. 그러나 머뭇거리며 실패만을 되돌아보고 곱씹기만 해서는 안 된다. 때로는 빠른 포기가 현명할 수도 있지만 그렇다고 달아나서도 안 된다.

시든 꿈을 발판 삼아 일어나야만 한다. 실패를 뒤로 하고 앞으로 나아간다. 어쨌든 우리는 오늘 하루를 살아남아야 하기에. 시간은 흐르고 우리는 성장하겠지.

“우리는 이 몸에 흐르는

새빨간 피의 온도로만 말하고 싶어

차가운 혀로 날 비웃지는 말아줘

이를 물고 참은 하루와

끊어질 듯 이어지는 길“

청춘은 시퍼렇지만 우리 몸에 흐르는 이 피는 새빨갛다. 우리 모두가 사실은 가지고 있는 새빨간 피의 뜨거운 온도를 생각하게 한다. 우리는 모두 청춘이었고 새빨간 꿈과 열정을 가지고 있었다. 혹은 우리는 지금도 새빨간 꿈과 열정을 가진 청춘이다. 이와 대비되는 사람들의 차가운 혀와 식어버린 말들은 우리를 비웃기도, 우리를 아프게 하기도 하겠지만, 우리는 이를 물고 참아낸다. 우리의 뜨거운 피가 식어버리지 않도록 오늘 하루를 견뎌낸다. 그러면 우리가 걷는 이 시퍼런 봄의 길이 끊어질 듯 끊어지지 않고 이어진다. 우리는 살아남는다.

“우리가 길을 헤메이는

시퍼런 봄의 날들은 아직 한가운데

멈추지 말고

몸부림치며 기어가

쏟아지는 파란 하늘과

아득하게 멀어지는 길"

청춘을 살아남고 있는 우리는 모두가 헤매고 있다. 내가 걸어가는 길의 종착지는 보이지 않고 나는 몸부림치며 기어가고 있으나 나의 길은 아득하게 멀어진다. 멈추지는 않는다. 나는 아등바등 살아내고 있다. 우리는 모두 아등바등 몸부림치며 청춘의 한가운데를 기어가는 중인 거다. 그러다 보면 우리가 가는 길이 아득하게 멀어지기도 한다. 그럴 때면 이렇게 아등바등 살아서 결국 어디로 향하는 건지 모르겠고, 그렇게 길을 헤매게 되며, 그저 지금 이 순간이 마냥 힘들기만 하다. 가끔은 이렇게 아등바등 살아남는 것 자체가 무의미해 보이기까지 한다.

그러나 그 와중에도 파란 하늘은 쏟아진다. 청춘은 계속된다.

작사가가 실제로 의도한 바는 모르겠으나 나는 이 가사를 읽으면 읽을수록, 부르면 부를수록 청춘의 실패와 아픔, 혼란을 노래한 가사라는 생각이 든다. 새빨간 피를 가진 우리가 살아남아야 하는 시퍼런 봄. 길을 잃고 헤맬 때도 멈출 수 없고 넘어져서 아플 때도 몸부림치며 기어가야 하는, 이를 물고 참아내고 살아남아야 하는 하루. 그렇게 반복되는 하루하루를 쌓고 또 쌓아 만들어내는, 끊어질 듯 이어지는 길. 청춘이다. 시퍼런 봄이다.

그렇게 시퍼런 봄에 청춘들은 던져진 존재들이다.

던져졌다는 말은 실존주의 철학자들에게서 따왔다. 나는 철학적 소양이 부족한 사람이기 때문에 감히 실존주의에 관해 논하면 안 될 것 같지만, 인간이 내던져진 존재라는 그들의 문장이 나에게 너무 크게 와닿았다.

인간은 던져진 존재들이라는 전제에서 그들의 철학은 시작한다. 인간은 무의미하고 의지도 없는 던져진 존재이기 때문에 더더욱 주체적으로 삶의 의미를 규정하고 추구하는 것이고, 또 그렇기 때문에 인간은 사회적 관계 속에서 살아가는 존재라고 한다. 그 논리전개의 결과 그들이 주장하는 사회문제 참여를 통한 자아실현 등은 차치하고, 나는 자기 의지와 관련 없이 세상에 던져진 인간이라는 그 전제가 참 와닿았다.

여느 철학적 이론과 마찬가지로 실존주의 역시 "나는 무엇인가? 그리고 나는 무엇을 해야 하는가?"에 대한 물음에 답하려고 한다. 인간은 태어난 이상, 즉 이 세상에 내던져진 이상, 자신의 삶을 자신이 선택하게 된다. 우리는 당연하게도 이 선택에 대한 불안감에 압도되고 괴로워하지만 우리가 가지는 이 자유의지와 그에 따른 선택을 통해 스스로의 미래를 만들어간다. 그렇게 자아를 형성한다.

인간은 주어진 것으로 세상에 존재하지만 개인의 삶은 선택하는 것으로 이루어진다. 인간은 선택에 의해 태어나지 못했지만 삶은 선택에 의해 존재한다.

내 선택으로 내가 이 세상에서 살아가게 된 것이 아니므로 나는 던져진 인간이다. 우리는 모두 던져진 존재다. 그러나 우리는 살아남기 위해 주체적으로 생각하고, 꿈꾸고, 싸우고, 버티고, 견뎌내야만 한다. 내 삶의 의미를 내가 알아서 규정해야 하고, 그 의미를 위해 스스로 살아남아야 한다. 던져진 존재이기 때문에.

특히 청춘을 살아가는 우리는 더더욱 던져진 존재들인 것만 같았다. 혼란과 두려움이 가득한 이 서슬퍼런 계절을 살아나가는 우리는 법적으로, 사회적으로 스스로를 책임져야만 하는 성인이지만 또 아직은 완전한 어른이 되지 못한 사람들이다. 부모님, 선생님과 같은 어른들의 보살핌에서 벗어나 이 세상에 던져진 것이다. 모든 게 처음이라서 우리는 괴로워한다. 많은 것이 새롭고 또 많은 것이 어렵다. 따라서 우리는 때때로 길을 잃고 헤매기도, 머뭇거리기도 하며, 이 계절을 살아남기 위해 몸부림치게 된다.청춘은 누구에게나 주어져 있다. 하지만 결국 청춘이라는 이 계절 속에서 어떠한 삶을 선택해서 살아나갈 것인지는 나에게 달려 있다. 나의 시퍼런 봄은 나의 선택대로 만들어질 것이고, 당신의 시퍼런 봄은 당신의 선택대로 만들어질 것이다.

시퍼런 봄에 던져진 우리는 세상과, 사랑과, 사람과 또 시간과 관계를 만들면서, 길을 헤매고, 몸부림치며 기어가며 살아남고 있다. 우리는 시퍼런 봄에 던져졌다.

파도

떠밀려온 시간은 나를 삼키고

최근 일 이 년간은 특히 속절없이 흐르는 시간에 떠밀려 살아가고 있었다. 해보고 싶은 게 생기면 꼭 해봐야 하는 성격이라 나름대로는 매우 바쁘게 살면서도 어딘가 텅 빈 듯한 느낌을 지울 수가 없다.

내가 아니면 아무도 나를 이 시간의 주인공으로 기억해 주지 않을 텐데, 그리고 이렇게 혼자 있는 날에는 더더욱 내가 아니면 아무도 이 공간과 시간 속에서 존재하던 나를 기억해 주지 않을 텐데. 그럼에도 나는 이 시간이 파도처럼 나를 쓸어가 버리게 방치하고 이 공간 속에서 내가 파도조각처럼 부서져 사라지게 두고 있었구나.

이렇게 떠밀려온 시간은 이제 나를 이루는 과거가 되었지만 대부분은 유의미한 기억이 되지 못했다. 이런 붕 떠있는 시간들은 어찌저찌 기억이 되었을 때에도 매우 희미한 빛 그 이상도 이하도 아니었다.

오늘도 나는 붕 뜬 채 수동적으로 시간에 떠밀렸고, 정신을 차려보니 지금 잠들지 않으면 다시 무한한 생각과 후회의 굴레에 빠질 것 같은 시커먼 밤이 찾아왔다. 또 지금 잠들지 않으면 내일의 내가 영향받을 시간이 되어버렸는데, 이렇게 흘려보낸 시간조차도 오늘을 살아남았다고 표현해도 되는 걸까.

이렇게 떠밀려온 시간은 이제 나를 이루는 과거가 되었지만 기억은 되지 못했고 설령 이 붕 떠있는 시간이 기억이 된다고 하더라도 매우 희미하겠지.

매일을 확실한 채도로 기억 속에 기록할 순 없어도 이렇게나 하루하루가 연속적으로 희미하다고 생각하니 내가 기억할, 내가 주인공인 이 순간들이 미래의 나를 이루는 아주 선명한 색깔로 자리 잡을 수 있었음에도 나는 하루하루를 이렇게 떠밀려 살아감으로써 그 시간들을 단 한두 번의 붓질에 지나지 않는 존재로 만들어 버린 것 같았다. 이렇게 붕 떠 있는 시간들에 존재했다는 것 만으로 하루를 살아남은 거라고 할 수 있을까 불안했다.

물론 그렇다고 최근 몇 년 간 선명하고 유의미한 기억이 없는 건 아니다. 가끔 지쳐 울다 잠들어도 분명히 행복이 선명하게 빛을 내는 순간들도, 그 순간의 기억들도 존재한다.

그리고 그런 기억을 만들어준 내 옆의 사람들과 그때의 빛나던 나에게 고맙다.

열일곱 열여덟 살 즈음 비관주의적이고 허무주의적인 생각에 한 번 빠진 이후로 그런 가치관을 지울 수 없었고, 나를 좀 살려달라고, 이 끊임없는 파도에서 구해달라고 울며 기도해도 여전히 가라앉고만 있는 기분을 지울 수 없었다. 아등바등 행복하려고 살아내도 결국 남는 게 없어 보였고, 행복하지 않은 순간들을 살아남아야 하는 것은 더더욱 무의미하고 부정적으로만 보였다.

나는 행복을 과거에서 찾곤 하는 버릇이 있다. 자주 아이폰 사진첩을 뒤적거리고 인스타그램에 보관된 몇 년 전 스토리를 뒤적거리며 과거를 추억한다. 그 당시의 공기와 분위기, 그 시공간 속의 나를 회상하며 과거의 행복을 끄집어내곤 한다. 그러다 보면 과거의 나를 화면 속으로 들여다보고 부러워하고 있는 현재의 내가 불쌍해 보여서 조금 슬퍼지기도 한다.

그러나 행복한 순간들은 되돌아보며 슬퍼하고 그리워하는 데서 그치는 게 아니라 그때 그렇게 행복했으니 앞으로도 행복할 수 있다는 경험적 증거가 되어 줄 수 있었다. 따라서 과거의 행복은 현재를 행복하게 살아가고자 하는, 현재도 그런 경험적인 증거로 만들어 내고자 하는 원동력이 될 수 있는 것이더라. 그래서 나는 현재에도 행복하기로 선택했다. 지금 이 순간에서 행복을 찾기로 정했다.

항상 가지고 있는 생각이지만 인생은 후회를 최소화하고자 하는 내 선택들의 연속이고 무슨 선택을 하든 어느 정도의 후회는 있을 것이다. 그러니까 지금 이 순간 생각했을 때 미래의 내가 가장 조금 후회할 선택을 하자. 그게 내가 행복할 길이다. 이렇게 생각하고 살아가고 있긴 하지만 여전히 과거도, 현재도, 그리고 미래는 말할 필요도 없을 만큼 당연히 더 불투명하고, 시간의 흐름은 마치 파도와 같아 나를 삼켜먹는다. 그리고 나는 나를 삼키는 이 시간이 때때로 참 무섭다.

비록 비관적이고 허무주의적인 생각과 모순되긴 하지만 나는 모태신앙의 기독교인이다. 그리고 〈하나님의 열심〉이라는 곡에는 내가 정말 좋아하는 가사가 있다.

"앞이 보이지 않아도 나아가 주겠니

이해되지 않아도 살아내주겠니 "

이렇게 하루하루가 희미해서 과거를 되돌아보았을 때에도, 앞으로의 미래를 생각했을 때에도 딱히 아무것도 보이지 않는다고 생각했을 때, 앞이 보이지 않아도 나아가 주겠냐고. 흘려보내는 것이 살아남는 게 맞는 건가 고민하고 있을 때, 아등바등 살아남아서 나에게 남는 것이 뭘까 허무할 때, 이해되지 않아도 살아내주겠냐고.

그래서 그냥 지금 앞이 보이지 않고 아무것도 이해되지 않아도 내가 주인공인 내 인생을 지금까지 그래왔던 것처럼 나아가고 살아내려고 한다. 나는 행복했고 현재도 행복하고, 앞으로도 행복하기로 선택했고, 지금까지 그래왔듯 나아가고 살아내다 보면 그렇게 될 거라고 생각한다.

나는 주로 하나님께서 나와 함께하신다거나 하나님이 내 길을 이끄신다거나 하나님을 믿고 의지하라는 성경구절을 가장 좋아하는데, 그중에서도 가장 좋아하는 성경 구절 중 하나인 시편 18편 16절은 다음과 같다.

"그가 높은 곳에서 손을 펴사 나를 붙잡아 주심이여 많은 물에서 나를 건져내셨도다."

옳은 해석인지는 모르겠으나, 나는 여기서의 "많은 물"을 나를 반복적으로 삼켜버리는 파도라고 생각한다.

결국 붕 뜬 시간이라는 이 파도에서 벗어나는 방법은 나에게는 그 어떤 가치관보다도 절대적인 내 신앙이며 종교인 게 아닐까.

흔히들 인생을 영화에 비유하곤 하는데, 내가 내 인생을 써 내려가는 각본가이자 그 주인공이라면 하나님은 그런 나를 지켜보시고 내가 가는 길을 이끄시는 감독일까.

이미 지나간 이상 오늘을 돌이킬 수는 없다. 파도가 자꾸 나를 집어삼켜도 계속 머리를 내밀어야지. 이 시간에 자꾸만 더 붓질해서 더 짙은 색채를 부여해야지. 내일의 나는 더 선명한 주인공으로 살아갈 수 있게 기도해야지.

내 청춘의 영원한

최승자 시인의 〈내 청춘의 영원한〉

내 청춘의 영원한 / 최승자

이것이 아닌 다른 것을 갖고 싶다.

여기가 아닌 다른 곳으로 가고 싶다.

괴로움

외로움

그리움

내 청춘의 영원한 트라이앵글.

최승자 시인의 "내 청춘의 영원한"이라는 시를 좋아한다. 보통 청춘을 노래하는 시는 청춘의 푸르름을, 아름다움을, 돌아오지 않는 청춘에 대한 아쉬움과 슬픔을 다루기 나름이다. 그런데 이 시는 다르다. "내 청춘의 영원한 트라이앵글"로 괴로움, 외로움, 그리고 그리움을 꼽는다. 그게 전부다.

하나, 괴로움. 확실히 청춘은 괴롭다. 그 어느 순간보다 불확실하고 불안정하다. 청춘의 불확실성과 불안정성에서 오는 괴로움은 때때로 나를 덮친다. 너무 괴로울 때면 오히려 눈물도 나지 않는다. 텅 빈 것같이 공허해지고 아무것도 남지 않는다. 그저 괴로울 뿐이다. 우리는 괴로움에 몸서리친다.

고등학교 3 학년 때, 대학에 지원할 무렵 나는 하고 싶은 공부가 없었다. 그래서 캐나다의 대학들에는 경영학 혹은 사회학 전공으로, 미국의 대학들에는 전공미정과 언론학 전공으로, 영국 대학에는 법학 전공으로, 일본 대학에는 교양학부로, 홍콩 대학에는 경영학과 사회학 전공으로 원서를 넣었다. 나도 안다. 중구난방이다. 그냥 대충 문과가 할 만한 전공들로 지원한 게 전부다.

외교관후보자선발시험을 위한 공부를 1 년간 해 봤지만 딱히 외교관이 되고 싶었던 것은 아니었다. 로스쿨 입시를 준비하고 있으나 사실 변호사가 꿈이었던 것도 아니다. 나는 아직도 뭐가 되고 싶은지 잘 모르겠다. 그래서 몇 년째 방황하고 있고 그 방황의 과정에서 괴로워하는 중이다.

둘, 외로움. 내가 이 세 개의 "트라이앵글" 중 가장 견디기 힘들어하는 부분이다. 수년 여의 유학생활 동안 나는 참 많이도 외로워했다. 그런데 아이러니하게도 가장 외로웠던 건 한국에 돌아오고 나서였다. 고시공부를 관두고 세 달 정도 지났을 때, 막 1 차 시험이 끝난 고시촌 친구들을 만나러 학원 앞으로 찾아간 적이 있다. 끝없는 공부와 매일 반복되는 모의고사에 지친 모습들이었다. 아, 작년의 내가 딱 저런 상태였구나.

친구들은 혼자 있게 될 때면 땅을 파고 들어가게 된다고 했다. 한없이 외롭다고 했다. 원래의 본인을 잃었다고 했다. 아등바등 공부하고 살아봤자 남는 게 없을 것 같다고, 다 의미 없어 보인다고 말했다. 아무 일도 없는데 툭, 눈물이 떨어진다고 했다. 자꾸만 찾아오는 외로움에 부모님께 유독 과하게 의지하게 된다고 했다. 그래서 지방에 사시는 부모님이 무리해서 매 주말 고시촌에 찾아오신다고 했다.

나도 그랬다. 나도 마찬가지였다. 고시공부를 하던 일 년여간 나를 정말 많이 잃어버렸다. 원래도 약했던 심장은 더 약해져서 자주 아팠고, 잔병치레가 잦았으며, 스트레스를 받을 때면 토하곤 했다. 마음도 아팠다. 수업을 듣다가도 아무 이유 없이 눈물이 떨어졌고, 글이 하나도 읽히지 않았다. 책을 읽거나 영화를 보는 것도 모두 죄책감이 되었다. 그 시간에 공부를 하고 있었어야 하기 때문이다. 그렇게 나는 책과 영화와도 멀어졌고, 우울감이 다시 나를 덮쳐오고 있었다. 그렇게 외로움이라는 섬에 고립되었다.

더 이상은 안 되겠다, 싶어 고시공부를 그만뒀다. 그런데 공부를 관두고 나서도 관성인지, 버릇인지, 망가진 채로 몇 달을 살았다. 여전히 혼자가 싫었고, 여전히 책과 영화를 멀리하고 있었고, 여전히 외로웠다.

셋, 그리움. 나는 과거에서 행복을 찾곤 한다. 툭하면 인스타그램이 알려주는 몇 년 전 오늘 내가 올린 게시글과, 아카이브 된 몇 년 전의 스토리를 자주 본다. 이제 돌아갈 수 없는 시간에 대한 그리움이다.

"그리워하다"를 한자에서 찾으면 "그리워할 연 (戀)"이 된다. 일본어로 그립다는 "恋しい"라고 하는데, 여기 쓰인 "코이 (恋)"라는 단어는 사랑이라는 명사다. 사랑이라는 명사를 형용사화하면 그리워하는 게 된다. 영어로는 miss 다. 그런데 이 단어는 그립다 뿐만 아니라 잃어버리다는 뜻도 가진다. 결국 그리움은 이제 영영 되찾을 수 없는, 잃어버린 사랑인 게 아닐까. 무언가가 그립다는 것은 결국 무언가를 그만큼 사랑했다는 뜻이다. 그리움은 내가 사랑했던 시간이고 장소이고 사람이다. 우리는 결국 이 청춘에서 겪어나가는 괴로움도 외로움도 사랑할 수 있는 존재들이고, 이 모든 시간들은 그리움이 되어 영원한 것이 된다.

시간은 우리 모두의 어깨 위에 공평하게 내려앉는다. 청춘은 영원하지 않다. 그러나 괴로움과 외로움은 그리움이 되어 영원해진다. 그래, 내 청춘의 영원한.

냉소주의

〈파우스트〉 비극 제 1 부

“공상이란 평상시에는 대담한 날개를 펴고

희망에 부풀어 영원한 것으로까지 확대되다가,

기대했던 행복이 시대의 소용돌이 속에서 연달아 파멸하면,

이젠 조그마한 공간으로도 만족해버리고 만다.

근심은 곧 마음속 깊은 곳에 둥지를 틀게 되고,

거기에 남모르는 고통을 움트게 하고,

불안스레 흔들거리며 기쁨과 안식을 방해하는도다.

근심은 끊임없이 새로운 가면을 뒤집어쓰니.”

전도서 2:17 “이러므로 내가 사는 것을 미워하였노니 이는 해 아래에서 하는 일이 내게 괴로움이요 모두 다 헛되어 바람을 잡으려는 것이기 때문이로다”

전도서 2:20 “이러므로 내가 해 아래에서 한 모든 수고에 대하여 내가 내 마음에 실망하였도다”

냉소주의자들은 구경꾼이다. "될 대로 되라, 이제 모르겠다." 대체로 모든 일에 비관적이고, 문제에 대한 대안을 제시하려 들지 않는다. 이들에게 세상은 불합리하고 비이성적이며, 앞으로 나아질 기미도 보이지 않을 시공간이다. 희망을 가지지 않는다. 그런데 사실 냉소주의자는 사실 누구보다도 희망적이었던 사람들인 경우가 많다. 희망과 기대가 컸던 만큼 현실을 마주했을 때 많은 걸 포기하게 되었을 테고, 실망도 그만큼 컸을 테니까. 세상에 대해 가지고 있던 기대와 희망이 짓밟혔고, 현실은 이들을 배신했다. 그리고 이들은 세상에 대한 기대를 포기하고 냉소주의적인 스탠스를 취하게 되었을 것이다.

영화 〈가여운 것들〉의 해리 애슬리는 냉소주의자이다. 어린아이의 두뇌와 마음을 가진, 순수하고 올곧은 주인공 벨라에게 그는 세상을 보여주겠다며 빈민가를 마주하게 한다. 현실을 마주한 벨라는 고통받고 슬퍼한다. 그러자 해리는 사실 벨라에게 상처를 주고 싶었을 뿐이라 이야기한다. 벨라는 그런 그의 냉소주의적 모습 속에 상처받은 어린 아이가 있는 것 같다고 말한다.

괴테의 희곡 〈파우스트〉의 〈비극 제1부〉에서 가장 와닿은 구절을 인용해 두었다. 희망과 기대라는 사람들의 공상은 시대의 소용돌이 속에서 파멸하고 사람들 속에 근심과 고통이 생겨난다. 근심이 근심을 낳고 기쁨과 안식을 방해한다. 성경의 전도서에도 냉소적이고 염세주의적인 사람들이 그려진다. 이들은 자신의 노력과 수고에 따르지 않는 결과에 실망한다. 그렇게 삶을 헛되게 바라보게 되고 더 나아가서는 사는 것을 미워하게 된다. 〈가여운 것들〉의 해리도, 위의 괴테의 문장들도, 전도서의 구절들도, 내가 생각하는 냉소주의자들의 모습이다. 세상에 상처받아 아무것도 하지 않으려는 사람들이다. (물론 전도서의 냉소주의자들은 하나님을 만나지 못한 자들이고 하나님의 뜻대로 살지 못하는 자들이다. 하나님을 만나면 삶은 의미있어지며 헛되지 않은 것이 된다.)

실존주의와 냉소주의에 관심을 갖고 이런 저런 글을 읽다가 니체와 쇼펜하우어에 관한 글을 한동안 읽었다. 철학의 스펙트럼이 굉장히 넓고 그 깊이도 엄청난 학자들이기 때문에 내 부족한 머리로는 꽤 오랜 시간을 들여야만 겨우 한 페이지를 읽을 수 있었다.

쇼펜하우어는 비극의 주인공을 통해 우리에게 세상의 허망함을 깨닫고 욕망에서 등돌릴 것을 가르친다. 삶을 부정하는 염세주의적 태도를 취한다. 반면 니체는 비극의 주인공일수록 생명력으로 충만한 존재가 되어야 한다고 한다. 비극 속에서도 삶을 긍정한다. 니체에게 고통은 행복의 반대가 아니다. 삶을 사랑한다면 고통에서 도피하지 않고, 고통을 극복하면서 행복을 발견할 수 있다는 것이다.

니체는 〈자기비판의 서문〉에서 염세주의를 약함의 염세주의와 강함의 염세주의로 나눈다. 약함의 염세주의는 삶의 부정과 삶으로부터의 회피, 허무주의를 의미한다. 니체의 입장에서 쇼펜하우어의 염세주의는 인생은 고통이라고 한탄하는 약함의 염세주의다. 반면, 강함의 염세주의는 삶의 고통에도 불구하고 그 고통마저 삶의 일부로 긍정하는 정신을 의미한다. 즉, 긍정을 위한 부정, 무, 회의이고 현실세계를 있는 그대로 긍정하는 태도이다. 강함의 염세주의에서 삶의 긍정은 부정을 통해서만 완수된다. 자기극복이다.

니체의 이러한 철학은 그리스도교적 가치관 역시 약함의 염세주의라고 치부해버린다. 그리스도교적 가치체계에서 '악'으로 규정하는 많은 것들이 인간의 삶, 실재 그 자체인데, 이를 죄악시하여 실재 자체를 부정하는 것이기 때문이다. 개인적으로 나는 태어났을 때부터 지금까지 쭉 교회에 다니고 있는 사람이기 때문에 니체가 도덕적 가치를 염세주의와 연결시키는 부분은 완전히 납득하지 못했다.

그러나 인간이 마주하게 되는 고통이 실재한다는 점은 분명하다. 그 고통을 받아들이는 태도에 있어 그 고통을 있는 그대로 마주하고 극복하는 과정에서 삶의 긍정이 완수된다는 점은 크게 와닿았다.

나는 어릴 때부터 나에게 힘든 일이 생겼을 때 그 힘듦이 내게 남기는 것이 없다고 생각하고 살았다. 가능하다면 최대한 회피하고 싶었다. 그런데 고통을 삶의 일부로, 있는 그대로, 부정하면서 이를 통해 삶 자체를 긍정한다는 강함의 염세주의는 놀라웠다. 냉소주의적이고 염세주의적인 태도를 완전히 버리지는 않으나 그 속에서도 행복을 찾을 수 있다는 사고가 신기했다.

〈가여운 것들〉을 보고 느낀 건 내 스스로의 사고체계가 꽤나 해리 애슬리와 닮아있었다는 점이었다. 그게 싫었다. 나는 아직 더 희망과 기대를 가지고 살아가고 싶었다. 우리가 살아가고 있는 사회는 무한경쟁 속에서 우리에게 열등감을 강요한다. 그리고 나는 자라나는 열등감 속에서 냉소적인 태도를 키우고 있었다. 그러나 열등감 역시 실재하는 고통의 한 부분일 뿐이다. 문득 삶은 문을 열고 나가는 자에게 주어진다는 생각이 들었다. 삶은 모든 것을 냉소하고 회피하는 사람으로부터 도망갈 것이다. 그래서 나는 내 열등감과 기타 고통들을 마주하기로, 더이상 모든 것을 냉소하고 회피하지 않아 보기로 했다. 그렇게 삶이 나에게서 도망치지 못하도록 하기로 정했다. 염세주의적이고 냉소주의적인 태도를 완전히 버리지는 못해도, 적어도 냉소주의적 태도가 내 삶 전체를 잡아먹게 두지 않기로 했다. 내 태도를 강함의 염세주의로 바꾸기로 했다. 고통 자체를 냉소하면서도 그것을 있는 그대로 받아들이고 극복해 나가기로 했다. 그리고 니체가 말했듯, 나는 그 극복의 과정에서 행복을 발견할 것이다. 그렇게 나는 다시 내 삶에 대한, 내가 살아가는 이 세상에 대한 희망을 가져본다.

이게 내 업이 될 수 없다는 사실을 깨닫고 난 후

예능 피디가 되고 싶었다. 사람들에게 웃음을 줄 수 있는 영상을 만들고 싶었다. 조금 더 큰 후에는 영화 크레딧에 내 이름을 올리는 꿈이 생겼다. 사람들에게 울림을 주고 사람들을 생각하게 만드는 영상을 만들어 내는 제작자가, 감독이, 무언가가 되고 싶었다.

다큐멘터리 제작자이자 감독으로 일하면서 사회문제를 꼬집기도 하고 사람들의 인생을 덤덤히 들여다보기도 하는 분의 수업을 들었다. 우리는 매주 그 분이 만들었거나 추천하신 다큐멘터리를 한두 편씩 보고 수업에 들어갔다.

the ballad of vicki and jake (2006) 라는 작품을 봤다. 비키는 마약 중독자이고 제이크의 엄마다. 비키는 힘들게 집을 구했다. 그러나 마지막 희망일 수도 있었던 다 무너져가는 집조차도 주변 마약중독자들의 b&b 로 변해버린다. 제이크가 태어났을 때, 병원의 의료진은 건강한 아이를 보고 거의 실망했다고 한다. 한 번 낙인찍힌 삶은 쉽게 돌려놓을 수 없다.

비키는 영화를 만드는 이안과 켄에게 거짓말을 반복하고 제 3 자의 입장에서 그녀의 삶을 담던 이안은 감정적으로 휩쓸리고 다큐의 주요 인물이 되어버린다.

16 년 전의 어린 교수님은 본인이 촬영하고 취재하던 대상과 인간적인 관계를 맺고 다큐의 등장인물이 된다. 내가 매주 만나고, 같이 맥주도 마시고, 이야기를 나누던 이안이 그 속에 있었다. 픽션이 아니었다. 캐릭터가 아니었다. 진짜 사람들이고 그들의 인생이 들어 있는 다큐였다.

화면 속 비키가 카메라를 든 이안을 보고 말한다.

"Jake was a big healer, very wanted, much loved and a miracle.

It wasn't enough to stop me, was it"

(제이크는 내가 아주 원하고 사랑했던 나의 치유이자 기적이지. 그러나 그조차 나를 멈추기에는 충분하지 않았네.)

나는 그 수업을 듣기를 굉장히 잘 한 것 같다고 생각했다. 매주 죽음, 성폭행, 마약중독, 불법이민과 인권침해 등 하나 같이 어렵고 무거운 주제들에 대한 영화를 봤다. 이 어려운 주제들을, 그런 삶 속의 사람들을 바로 옆에서 담아내고 그 인생들의 한 부분이 된다는 것이 매력적으로 느껴졌다. 그러나 동시에 자신이 없어졌다. 사람들을 화면 프레임에 담고 편집해서 세상에 내놓는 것이 직업이 되려면 이 정도의 멘탈과 재능이 필요했다. 노력해 보지도 않았으나 본능적으로 알았다. 내 노력 정도로 커버될 분야가 아니었다. 수업을 위해 친구에 관한 다큐를 만들면서도 부담스러웠다. 내 인터뷰와 촬영, 편집 방향에 따라 내가 아끼는 내 친구가 사람들에게 어떻게 비춰질지가 결정된다. 누군가가 사람을 판단하는 일에 내가 큰 영향을 끼쳐버릴 수 있었다. 사실 그냥 영화를 기획하고 화면 구성을 잡는 것 부터가 어려웠다. 예술적인 감각도 부족하다고 느꼈다. 영화가 내 업이 될 수 없다고 깨달았다.

그리고 그 순간 나는 영화를 포기하게 되었다. 그 이후로 몇 년간 예전만큼 영화를 보지도, 영화를 보고 감상평이나 짧은 리뷰를 메모장에 남기지도 않게 되었다. 이게 내 업이 될 수 없다는 사실을 깨닫자 생각보다 금방 관두게 되었다. 아쉬워서인지, 미련이 남아서인지, 그냥 더이상 재미가 없어서인지는 모르겠지만 아무튼 나는 영화가 내 업이 될 수 없다고 깨달은 순간 영화를 포기했다.

이렇게 영화를 아예 관두기는 아까웠다. 몇 년이 지나고 한국에서 속절없는 시간을 흐르게 두고 있던 어느 날, 한달에 두 편 정도의 영화를 보고 영화에 대해 이야기하는 소모임에 들어갔다. 변호사부터 패션매거진 에디터, 개발자,

IT 기업 마케터, 치과의사, 영화홍보마케터, 부동산 관련 업계 종사자, 음향엔지니어까지 매우 다양한 직업군의 사람들이 같은 영화에 대해 세 시간을 가까이 이야기했다. 살면서 이렇게까지 다양한 경험과 생각을 들어볼 기회가 별로 없었기 때문에 아주 오랜만에 꽤 집중력을 발휘할 수 있었다.

꿈과 현실에 대해 이야기했다. 한 치과의사 선생님은 본인의 오랜 꿈이 음악이라고 말했다. 지금도 틈틈히 집에서 기타를 치고, 피아노를 치고, 미디를 만지면서 음악의 끈을 놓지 않고 있다고 했다. 그러자 주변의 음악을 업으로 사람이 음악이 업이 아니라서 좋겠다고, 그 자체로 즐길 수 있는 게 부럽다고 하셨다고 한다.

영화홍보사에서 마케터로 일하고 있는 분이 본인의 오랜 꿈이 영화의 엔딩크레딧에 자기 이름을 올리는 거였다고 했다. 지금은 몇 차례나 그 꿈을 이뤘지만 별로 기쁘지가 않다고 했다. 자신이 그렇게 사랑했던, 찬란한 꿈으로 삼았던 영화가 직업이 되니 마냥 좋지만은 않다고 한다. 현실이 되고 스트레스가 되어버려서 영화와 권태로워져 버렸다고 한다. 그래서 다른 직종의 사람들이 영화를 사랑하는 모습을 있는 그대로 보고싶어 이 모임에 왔다고 하셨다.

나는 나도 똑같은 꿈을 가졌었다고 말했다. 그래서 그 쪽이 너무 멋있다고, 나는 반대로 영화가 내 업이 될 수 없다는 걸 깨닫고서 영화를 포기해 버렸다고 말했다. 그 끈을 아예 놓아버릴까 두려워서 이 모임에 왔다고 했다.

내가 진짜 사랑하고 좋아하는 걸 직업으로 삼았을 때 그것은 현실로 다가온다. 내가 사랑하는 것이 현실이 되어 버리면 사람들은 있는 그대로의 그것을 사랑하지 못하게 되더라. 문득 영화가 내 업이 될 수 없어서 다행일지도 모르겠다는 생각을 했다.

해변의 카프카

메타포를 통해 드러나는 어린 다무라 카프카의 평범한 성장

나는 그동안 꽤 많은 책을 읽었고 꽤 많은 영화를 봤다고 생각한다. 어릴 때부터 책을 읽고 영화나 드라마를 보는 걸 좋아했기 때문인데, 아이러니하게도 내 생의 최고의 소설이라고 하면 내가 원해서 자발적으로 읽은 작품이 아닌, 학교 수업 때문에 읽었던 작품을 꼽게 된다.

고등학교 때 한국 문학 수업을 들었다. 한국 문학 수업이 진행된 2 년 동안 한강, 윤동주, 피천득 등 한국 작가들의 작품부터, 헨릭 입센이나 무라카미 하루키 등이 쓴 외국어로 된 작품의 한국어 번역본까지 다양한 글을 공부했다. 내가 공부했던 커리큘럼에서는 모든 과목에 대해 논문을 한 편씩 써야 했기 때문에 한국 문학 수업에서도 2 년간 공부한 작품 중 한 가지를 골라 2000 단어 가량의 레포트를 작성해야 했다.

그리고 내가 고른 주제는 바로 “무라카미 하루키의 장편 소설 〈해변의 카프카〉에서 소설적 메타포가 갖는 역할”이었다.

주제를 정한 뒤로 〈해변의 카프카〉 를 대여섯 번 다시 읽었다. 틈이 날 때마다 소설을 읽고, 소설에서 사용된 비유적 표현들을 정리하고 공부하면서 처음에는 난해하다고 생각했던 표현들과 장면들의 의미를 나름대로 이해하기 시작했다. 한 번 더 읽을 때마다 작가의 색다른 표현들에 놀라기도 했고, 이전에 읽을 때와는 다른 부분에서 감동하기도 했다. 소설에서 쓰인 메타포가 이해하기 힘들었기 때문에 더더욱 이해하고 싶었고, 방학 내내 〈해변의 카프카〉 상/하권만 붙잡고 있었던 것 같다. 대학에 들어가서 일본어를 배웠을 때도 처음 목표는 〈해변의 카프카〉 원서를 읽는 것이었는데, 어느 순간 그 목표는 잊어버려서 아직 원서는 읽어보지 못했다.

〈해변의 카프카〉에서 무라카미 하루키는 다무라 카프카라는 사춘기 소년의 복잡한 내면을 상징적인 매개체들을 사용하여 겉으로 표현해 낸다. 사춘기 소년이 자아를 찾아가는 과정이라는 책의 줄거리 자체는 많은 소설이나 영화에서 찾아볼 수 있는 클리셰지만 〈해변의 카프카〉는 흔히 볼 수 있는 성장소설과는 조금 다르다. 작가는 카프카의 내면을 대사나 행동 묘사를 통해 직접 나타내기보다는 비유와 상징 등의 기법을 사용해서 간접적으로 형상화한다. 과제를 완성하기 위해 소설을 여러 번 읽고 자세히 들여다보면서 작가가 사용한 비유적 표현들에 대해 내 나름대로의 의미를 확립해 갈 수 있었고, 등장인물의 감정을 깊게 생각해 보고 차츰 그 내면을 이해하게 되었다.

〈해변의 카프카〉에서는 정말 다양한 소설적 메타포가 사용된다. 무라카미는 메타포를 통해 소설의 주인공인 다무라 카프카의 성장을 보여주며, 성장으로 인한 내면적 상처와 용서에서 비롯되는 사랑의 중요성을 드러내고 있다. 무라카미 하루키는 “세계의 만물은 메타포”라는 괴테의 표현을 반복적으로 인용하고 메타포라는 단어를 직접적으로 언급하며 작품 속 메타포의 중요성을 보여준다.

롤랑 바르트는 문학을 “설명할 수 없는 것을 어떻게든 설명해야 하는 절망”이라고 표현했다. 즉, 문학의 역할은 사랑과 같이 실체가 없는 진실을 언어로 드러내는 것인데, 무라카미 하루키는 〈해변의 카프카〉에서 메타포라는 언어를 사용함으로써 카프카의 감정 변화와 용서, 그리고 사랑의 중요성을, 즉, 실체가 없는 진실을 형체화하여 표현해낸다.

〈해변의 카프카〉의 주인공 다무라 카프카는 이방인이다. 가출하여 타지로 향한 말 그대로의 이방인이며 사에키의 아들이며 연인으로 나타나는 이방인이고, 아버지에게는 그 관심과 애정을 받지 못한 이방인이다. 무라카미 하루키는 헤겔이 규정한 ‘자기 의식’의 정의 – “나는 관련의 내용인 동시에, 관련하는 것 그 자체이기도 하다” – 를 인용하며 카프카는 아직 자아를 찾지 못한, 진정한 자기의식을 찾는 것이 내면 성장에 중요한 역할을 하고 있는, 자기 자신에게도 이방인임을 보여준다.

작가는 기억에 대해 사람의 "몸을 안쪽에서부터 따뜻하게 해주는 것"임과 동시에 "몸을 안쪽으로부터 심하게 갈기갈기 찢어놓는 것"이라고 설명한다. "돌이킬 수 없는 감정"이지만 "살아왔다는 유일한 의미이고 증거"이다. 그런데 카프카에게 기억은 결국 아버지의 무관심이자 사랑이 결여된 상태의 트라우마다. 작가는 이러한 기억을 시각적 메타포를 활용하여 "멀리 있는 낡고 그리운 방"으로 표현한다.

카프카가 성장하면서 놓게 되는 그의 폭력성은 그를 떠나는 "나비"의 형체로 표현되고 그의 무의식은 다양한 "숲"의 형태로 표현된다. 카프카는 작품의 초반부에서 때때로 분노와 공포를 느끼고 본인이 상당히 폭력적임을 서술한다. 소설의 후반부에서 카프카는 사에키를 사랑하고 그녀를 이해하는 과정을 겪은 후 스스로에게서 분리되어 "나비가 되어" 날아간다. 카프카가 보는 나비의 모습은 그 스스로가 성장함에 따라 변화하고, 이는 카프카가 다양한 모습의 자신을 인지하면서 내면적으로 성숙해지는 과정이다. 마지막에 폭력성을 상징하는 '나비'가 카프카 자체에게서 떨어져 날아다닌다는 것은 결국 폭력의 트라우마가 낳은 카프카의 통제불가한 폭력성이 사라진다는 것을 의미한다. 즉, 작가는 폭력성과 같은 내면적 특성의 제어가 가능해져 가는 주인공의 성장을 나비라는 상징적 메타포를 통해 표현한 것이다.

한편, 카프카의 무의식적인 내면 상태를 형체화시켜 표현하는 데에는 "숲"과 그 숲의 일부인 "나무"라는 역설적 메타포가 사용된다. 카프카는 스스로의 무의식을 찾아가며 "나무는 들리지 않는 비명을 지르고, 보이지 않는 피를 흘린다."고 말한다. 나무의 의인화와 더불어 "들리지 않는 비명"과 "보이지 않는 피"라는 역설적 표현을 통해 작가는 카프카가 표면적으로는 온전해 보이지만 자신도 모르는 사이에 내적으로 상처받았다는 사실을 보여준다. 이는 카프카의 상처가 겉으로 드러나지 않고 스스로도 인지하지 못했던 내면의 트라우마와 충격에서 비롯되었음을 뜻한다. 작가는 이러한 역설적 메타포를 통해 카프카가 자라면서 받은 상처와 충격을 형체화하여 보여줌과 동시에 카프카 스스로가 나무의 비명과 피의 존재를 인식함으로써 본인 내면의 상처를 담담히 직면하며 내면적으로 성숙해지고 있음을 드러낸다.

아버지의 사랑을 받지 못하고 상처받아 그것이 폭력성으로 발현하게 되는 것은 카프카라는 등장인물의 특성이다. 그러나 본인 내면의 상처를 마주하게 되고, 이방인으로써 자아를 마주하게 되고, 버려야만 하는 자기 특성을 버리면서 성장해 나가는 것은 모두가 어린 시절 경험하는 일이 아닌가. 우리는 모두 나름대로의 상처를 받고 이를 나름대로 극복하면서 성장한다. 우리는 모두 가끔 스스로가 뭔가 동떨어진 것 같고 떨어진 것 같은 느낌을 받지만 결국 있는 그대로의 나 자신을 인정하면서 성장한다. 우리는 모두 단점과 약점을 가지고 있지만 이를 개선해 나가고 버려 나가면서 성장한다. 그리고 이 기억들은 우리 모두에게 닿을 수 없으나 그리워할 수 밖에 없는, "멀리 있는 낡고 그리운 방"이 되어 우리 안에 자리하게 된다. 좋은 기억들은 우리를 살아가게 하는 힘이 되고 원동력이 되지만 나쁜 기억들은 우리를 갈기갈기 찢어놓고 망가뜨리기도 한다.

내가 〈해변의 카프카〉를 내가 가장 좋아하는 소설로 꼽는 이유는 단순히 〈해변의 카프카〉만큼 여러 번 읽은 소설이 없기 때문일지도 모른다. 여가시간에 읽는 책이라면 보통 두세 번 이상은 읽지 않고, 소설의 문장 하나하나가 갖는 의미에 대해 이 정도로 자세히 생각하지 않으니까 과제를 위해 몇 번이고 읽은 〈해변의 카프카〉를 가장 잘 이해하게 된 건 당연하다. 그러나 그 이유 하나만으로 이 소설이 내가 가장 좋아하는 건 아니다. 일견 복잡하고 어려워 보이는 메타포로 점철되어 있는 소설이지만 〈해변의 카프카〉는 결국 지극히 평범한 사춘기 소년의 성장을 그린 이야기이기 때문에 좋아한다, 너무 평범한 소년의 너무 평범한 성장을 너무 특별한 메타포들로 표현했다.

우리는 모두 비슷하지만 또 각자 너무도 다른 성장기를 지나왔다. 작가는 다무라 카프카라는 인물의 성장을 다양한 메타포로 특이한 것처럼 표현했지만 결국 그 본질적 내용은 모든 사람이 겪는 평범한 성장이라는 점이 좋았다. 평범한 성장통을 개성 있게 표현해 낸 그 표현력이 좋았다. 나와 너무 동떨어진 얘기 같았으나 동시에 나의 이야기 같기도 했다. 그래서 나는 〈해변의 카프카〉를 좋아한다. 생각난 김에 온라인으로라도 〈해변의 카프카〉 원서를 사서 읽어봐야겠다.

살리에리 증후군

할 일이 딱히 없어 자취 중인 아파트 거실 소파에 누워 무한도전을 보고 있었다. 나는 초등학생 때부터 무한도전을 정말 좋아했다. 유튜브에 올라온 클립들은 하도 많이 봐서, 2005 년 무모한도전의 첫 화부터 모든 회차를 풀로 정주행하는 중이었다. 아직 총각이던 삼십 대의 무한도전 여섯 멤버들이 하하의 입대 전, 인도 배낭여행을 떠난 에피소드였다. 침대기차에서 멤버들이 이런저런 이야기를 나누던 중, 정형돈이 살리에리 증후군 이야기를 한다. 자신들이 종사하고 있는 그 업계에는 모차르트가 너무 많으니까, 본인은 여러분의 그 재능을 받쳐줄 수 있는 피아노가 되고 싶다고, 도구가 되고 싶다고 말한다. 예능인 말고 예능작가에 도전하고픈 꿈이 있다고 말한다.

모차르트가 너무 많다는 말에 공감했다. 나는 평생 내가 영어를 잘하는 줄 알았고 내가 그래도 조금은 문학적 소양을 가진 사람이라고 생각했는데, 고등학교 영문학 수업에서 그 생각들이 다 깨졌다. 셰익스피어를 읽고 천재적인 에세이를 써내는 친구들이 있었다. 아마추어 치고는 나쁘지 않은 바이올린 실력을 가졌다고 생각했으나 대학 오케스트라에는 악기를 전공하지도 않으면서 전공생들과 콩쿨에서 경쟁하는 바이올리니스트들이 있었다. 고등학교에서는 역사적, 지리 문화적 상식이 많은 편이었는데 대학에는 나보다 훨씬 많은 걸 아는 사람들이 즐비했다. 영상 촬영과 편집을 좋아하고 잘한다고 생각했으나 영상 일은 정말 재능의 영역이라는 걸 느끼게 하는 친구들이 있었다. 고시공부를 하면서는 책상에 오래 앉아 오랜 시간 공부하는 것도 재능인 걸 알게 되었다. 하루에 열 몇 시간씩 책만 보고 앉아있는 생활을 몇 년이고 해내는 사람들이 너무 많았다. 나는 가만히 앉아서 오랜 시간 꾸준히 공부하는 재능이 없다는 걸 다시 한번 깨닫는 계기가 되었다. 내 좁은 세상에마저 모차르트는 너무 많았다. 나는 모차르트가 아닌 것 같았다.

그만하면 충분히 대단하다, 너 정도면 잘하고 있다, 와 같은 위로의 말들이 한없이 가볍게 느껴졌다. 위로가 되지 못했다. 부럽다, 멋있다, 와 같은 온갖 좋은 말들도 나를 알지도 못하면서 자기 잣대에 맞춰서 평가하고 있다고만 느껴졌다. 나에게는 칭찬이 아니었고 다만 부담스러운 기대였다. 그 잣대에, 조건에 내가 부합하지 못하면 그 말들은 바로 화살이 되어 나에게 날아올 것만 같았다.

살리에리 증후군이란 1 인자를 질투하고 시기하는 2 인자의 심리를 가리킨다. 살리에리는 모차르트와 같은 시대에 활동한 음악가였으나 그의 재능으로는 불세출의 천재였던 모차르트를 뛰어넘을 수 없었다. 그렇게 살리에리는 모차르트와 같은 시대를 살아갔다는 이유로 영원한 2 인자로 남는다. 모차르트를 시기질투한 살리에리가 모차르트를 독살했다는 이야기가 널리 퍼지기도 했다. 다만 실제로는 당대 살리에리는 모차르트에 필적할 만큼의 유명세를 가진 음악가였다. 부와 명성에 있어 모차르트를 시기질투할 이유가 없었다는 이야기이다.

글의 제목도 살리에리 증후군이고, 무한도전의 해당 에피소드에서 정형돈이 한 이야기도 살리에리 증후군 이야기로 시작하기는 하지만, 사실 이 글도, 정형돈의 이야기도, 당대의 살리에리의 이야기도 1 인자에 대한 2 인자의 시기질투에 관한 이야기는 아니다. 정형돈은 주변에 모차르트가 많다고 했지만 결국 자신은 자신에게 맞을 거 같고 자신이 하고 싶은 작가의 길을 가고 싶다고 한다. 사실 아이템을 생각해 내고 글을 집필하는 것도 재능이다. 공부도, 악기도, 영화도, 글을 쓰는 것도 재능이다. 재능이 있는 사람들이 만들어내는 성과에서는 재능이 보인다. 나는 하고 싶은 것도 많고 하는 것도 많지만 주변의 모차르트들에 비하면 내가 만들어내는 무언가는 항상 감각이 부족했고 세련되지 못했다.

그러나 살리에리는 음악을 계속했다. 정형돈은 여전히 개그맨이고 여전히 사람들을 웃긴다. 나는 하고 싶은 게 많고 하는 것도 많다. 아직 직업은 없지만 취미만 해도 꾸준하게 하진 않았다. 그래도, 쉬어간 적이 있었어도, 포기하지는 않았다. 재능에 겁먹어 좋아하는 걸 포기하기는 싫었다. 고 2, 3 때는 바이올린을 전혀 켜지 않았지만 대학생 때 오케스트라에 들어가서 몇 달간은 악기만 켰다. 집중적으로 연습하는 기간에는 하루에 8-9 시간씩 악기만 붙잡고 있었던 적도 있다. 영상 편집을 접은 지 몇 년 후, 릴스를 편집하는 재미에 다시 빠졌다. 고등학생 때 처음 쓴 글은 몇 년간 안 쓰다가 최근에 이렇게 다시 쓰기 시작했다. 재능이 없는 것 같아도 내가 즐길 수 있으면 된다. 포기하지 않으면 된다. 그렇게 내가 하는 모든 것을, 내가 사는 것을 즐기고 있다 보면 또 언젠가는 내 재능을 찾겠지. 그럼 그때는 그것조차 즐기는 사람이 되고 싶다.

어차피 삶은

서로에게 빛나는 찰나의 찬란

어차피 삶은 영화 같지 않다. 인스타그램 속 아름다운 찰나의 순간은 지속되지 않으나 우리의 찰나는 찬란하게 서로에게 빛난다.

지난 시간들에도 찬란한 순간들이 있다. 이제 다시 돌아갈 수 없으나 그 시절 우리의 순간들이 너무 소중하고 좋았다. 지금 내가 지나가고 있는 이 순간순간들 중에도 찬란히 빛나는 찰나들이 존재한다. 내가 사랑하는 사람들과 함께 이 순간은 서로에게 돌아갈 수 없는 의미가 된다.

대체로 거지같아도 이따금 찬란한 찰나들이 나를 찾아오는 게 삶이라는 걸 인정하고 나니 삶이 한결 편해졌다. 그 찰나의 순간들이 더욱 소중해졌다. 그 짧은 순간이 삶의 이유가 되고 찰나가 쌓여 기억이 되어 나의 이유가 된다. 종종 나를 찾아주는 그 순간들을 위해 오늘도 살아남는다.

마치며

(Acknowledgements)

퇴고하다 보니 제 글들이 너무 중구난방, 미완의 글들이라 이대로 출판해도 되는 건지, 이게 맞는 건지 헷갈립니다. 들어가는 글에도 언급했지만 단편으로 써 왔던 글들이라 서로 연계성도 없습니다. 그러나 제 오랜 꿈이었기 때문에 그냥 한 번 해 보기로 했습니다. 여기까지 읽어주신 독자님들께 감사합니다.

브런치에서 출판이 가능하다는 알림을 받고 난 후, 빨리 내 글들을 손에 잡히는 책으로 만나보고 싶었습니다. 스물 셋에 이뤄놓은 게 없는 것 같아서였습니다. 그래서 스물 넷 생일을 맞이하기 전 이 책을 세상에 내놓게 되었습니다. 급한 감이 없지 않아서 많이 부족하지만 끝까지 읽어주셔서 다시 한 번 고맙습니다.

그렇게까지 우울하거나 유별나게 행복했던 건 아닌데, 글로 쓰다 보니 뭔가 무거워지고 내 경험이 특별해 보이게 되는 것 같습니다. 저를 아는 사람들은 제 글을 보고 본인이 알던 저와 글에서 보이는 제가 다르다고들 합니다. 실제로는 훨씬 가볍고, 잘 까불고, 쉽게 웃는 사람이라서 그런 것 같습니다. 나중에는 제 성격에 더 가까운, 조금 더 가볍고 조금 더 재치 있는 글을 써 보고 싶다는 생각이 듭니다.

이하는 조금 더 개인적인 감사인사이기 때문에 조금 더 제 평소 말투에 가깝게 쓰게 되었습니다. 영어가 섞여있기도 하고 되도 않는 개그 욕심이 묻어 있기도 합니다.

인스타그램 스토리에 글의 링크를 올리면 디엠으로 공감의 글을 보내 주신 분들과 브런치에 이따금 댓글을 남겨 주신 작가님들께 정말 감사합니다. 덕분에 내 글이 누군가에게 때로는 힘이, 어쩔 때는 공감이, 가끔은 필요가, 혹은 상념이 될 수도 있다는 것을 처음 알게 되었습니다.

그리고 그렇게 얘기해주신 덕분에 시간이 날 때마다 무언가를 끄적이기 시작할 수 있었고, 글 쓰는 것 자체가 취미가 되었고, 즐거워졌습니다.

한국문학을 반강제로 읽게 해주신 고교 시절 한국어 선생님 감사합니다. 쌤이 시험으로 낸 제 글 보고 자유로운 영혼을 숨쉬게 해주라고, 너한테는 그런 재능이 있다고 말씀해주셔서 과제가 아닌 글을 처음 썼던 것 같아요. 킴쌤 진짜 보고싶어요. 빠른 시일 내에 꼭 뉴질랜드 놀러갈게요.

시퍼런 봄이라는 곡을 알게 해주고 멋지게 공연해 준 노필터 멤버들도 고맙습니다. 여러분을 만나면서 서울이라는 세상으로 처음 나왔고 또 여러분 덕분에 이 책에 제목이 생겼어요. 아직 안 들어보신 분들은 제가 정말 사랑하는 가사를 가진 곡이니까 꼭 들어보세요. 그치만 제 쏜애플 최애곡은 사실 "아지랑이"라는 곡이랍니다. 이것도 우리 공연곡이었음.. 그립다 노필터!

지구 반대편이든 십분 거리의 동네든 내 연애상담, 진로상담, 그냥 쓸데없는 소리까지 다 들어주는, 내가 가장 사랑하는 내 친구들 고맙습니다. 가끔 만나도 어색하지 않고 가끔 전화해도 편하게 농담따먹기 할 수 있는 친구들이 있다는 게 얼마나 큰 행운인지 요즈음 느끼는 중입니다.

A huge thanks to all my friends around the globe for being there for me all the time despite all my daily rants. Thanks for catching my calls and answering my texts regardless of the time difference because for some of you, we do have a huge time difference and even I sometimes take forever to reply. Please do remember that I am always here for you just like you're there for me. Love you all from the bottom of my heart. You all know who you are xxx

솔몬! 군대 얼마 안 남은 거 힘내고, 심심할 때 전화해서 놀아주는 거랑 연애상담 잘 해 주는 건 고맙다. 근데 나는 너 얘기 듣는 게 더 재밌긴 해. 우리만큼 사이 좋은 남매 흔치 않다. 빨리 영국이든 일본이든 가, 나 여행가고 싶어 히히. 근데 너 이 책 다 안읽은 거 알아.

하고 싶다는 거 다 서포트 해주시고 응원해주시고 항상 제 편이 되어주시는 엄마아빠 감사합니다. 딴짓한다고 공부 안하고 놀러다녀서 미안. 앞으로도 하고싶은 거 다 해보고 살고 싶긴 하지만 본업도 좀 더 열심히 해보도록 할게. 도서관에 열 몇 시간씩 박혀 있는 건 솔직히 조금 힘들 것 같은데 그래도 지금보다는 공부 열심히 할게! 진짜 무조건적인 사랑이 뭔지 보여줘서, 항상 사랑받고 있다고 느끼게 해줘서 고마워. 앞으로도 행복할게. 그리고 앞으로는 더더욱 자랑스러운 딸내미 되겠습니다! 제일 사랑해!

구체적인 인사는 여기까지 하기로 하고, 제 글들에 등장한 수많은 제 주변의 모든 사람들에게 고맙습니다. 여러분 덕분에 저는 행복했고, 행복하고, 앞으로도 행복 할 것 같습니다. 제가 사랑하는 당신들 덕분에 저는 끝없는 우울의 심연에서 벗어날 수 있었습니다. 사람을, 나를, 내가 사는 이 세상을 다시 사랑할 수 있었습니다. 나라는 사람의 길지 않은 역사의 일부분이 되어 주셔서 고맙습니다. 그러니까 앞으로도 잘 부탁해요.

Most importantly, I would like to give thanks to God for all you've given and for letting me know that I'm safe in your name.

2024. 04.

스물셋의 마지막에서 루 씀